Além do bem e do mal

Dados Internacionais de Catalogação na Publicação (CIP)
(Câmara Brasileira do Livro, SP, Brasil)

Nietzsche, Friedrich Wilhelm, 1844-1900.
Além do bem e do mal : prelúdio de uma filosofia do futuro / Friedrich Nietzsche ; tradução de Mário Ferreira dos Santos. – Petrópolis, RJ : Vozes, 2012. – (Vozes de Bolso)

3ª reimpressão, 2022.

ISBN 978-85-326-4287-5
Título original: Jenseits von Gute und Böse
1. Bem e mal 2. Filosofia alemã I. Título. II. Série.

08-10011 CDD.193

Índices para catálogo sistemático:
1. Alemanha : Filosofia 193
2. Filosofia alemã 193
3. Filósofos alemães 193

Friedrich Nietzsche

Além do bem e do mal

Prelúdio de uma filosofia do futuro

Tradução de Mário Ferreira dos Santos

Vozes de Bolso

Traduzido da edição alemã de Musarion Verlag Münche, 1925.

Tradução realizada a partir do original em alemão intitulado *Jenseits von Gute und Böse*

Rua Frei Luís, 100
25689-900 Petrópolis, RJ
www.vozes.com.br
Brasil

Editoração: Sheila Ferreira Neiva
Diagramação: Sheilandre Desenv. Gráfico
Capa: visiva.com.br

ISBN 978-85-326-4287-5

Este livro foi composto e impresso pela Editora Vozes Ltda.

Sumário

Prefácio

Admitindo que a verdade seja mulher, não está fundamentada a suspeita de que todos os filósofos enquanto permaneciam dogmáticos nada compreendiam a respeito de mulheres? E que aquela seriedade sombria, aquela insistência estreita com que eles até agora costumavam palmilhar o caminho das verdades eram meios inábeis e desonestos para obter justamente as graças de uma jovem? Certamente ela não se deixou conquistar: – e toda espécie de dogmática se apresenta hoje com um rosto turvo e desalentado.

Se, ela ainda está em pé de qualquer forma!... pois ainda existem irônicos que afirmam que ela caiu, que toda espécie de dogmática jaz ao chão e, mais até, que ela está agonizante. Falando seriamente, há motivos suficientes para esperar que todo dogmatizar na filosofia, por mais festivo, por mais decisivo e por mais teleológico que se tenha portado, é apenas uma nobre brincadeira e um começo: e talvez esteja muito perto o tempo em que se compreenderá novamente o que de fato já foi suficiente para fornecer a pedra fundamental para tais construções elevadas de filósofos, as quais até agora foram construídas pelos dogmáticos: talvez qualquer superstição popular dos tempos remotos (assim como a superstição das almas que na forma de superstição do sujeito e superstição do eu ainda não deixou de fazer suas tropelias), qualquer trocadilho talvez, uma dedução da parte da gramática, ou uma generalização ousada de fatos muito estreitos, muito pessoais e humanos, demasiado humanos. Esperemos que a filosofia dos dogmáticos tenha sido apenas uma promessa para milênios: assim como nos tempos passados foi a astrologia, na qual se empregou mais trabalho e dinheiro, argúcia e paciência do que em qualquer outra ciência real: – a ela e às suas exigências "sobrenaturais" na Ásia e no Egito se deve o estilo magno da arte de construir. Parece que todas as coisas grandes, que tencionam gravar-se profundamente no coração da humanidade com suas exigências eternas, têm de passar primeiro como caricaturas enormes e assustadoras sobre a terra: uma tal caricatura era a filosofia dogmática, por exemplo, a doutrina Vedanta na Ásia, o platonismo na Europa. Não sejamos ingratos para com ela por mais que se deva conceder que o mais grave, o mais demorado e perigoso de todos os erros, até então, fora um erro dogmático, isto é, a invenção platônica do espírito puro e do bem em si.

Mas agora que foi ele vencido, a Europa, respirando desse pesadelo, está apta a ter um sono mais sadio. Somos nós, cuja tarefa é o despertar, os herdeiros de toda a força e que foram forjados na luta contra esse erro.

Seria aliás pôr a verdade de cabeça para baixo e negar a perspectiva e a condição fundamental de toda a vida falar do espírito do bem como o fez Platão; pode-se até perguntar como médico: "Donde proveio essa doença na mais linda planta da Antiguidade, Platão?

Será que o malvado Sócrates o degenerou? Foi Sócrates realmente um pervertedor da juventude, e que mereceu por isso beber a cicuta?"

Mas a luta contra Platão ou, para dizer uma coisa mais compreensível para o povo, a luta contra a pressão cristã-clerical de milênios - pois cristianismo é platonismo para o povo - originou na Europa uma bela tensão espiritual como ainda não tivemos na terra: como uma flecha de tal modo tensa pode ser atirada às metas mais distantes.

De fato o homem europeu sente esta tensão como uma "crise". Já por duas vezes se experimentou em grande estilo diminuir a tensão do arco, uma vez por meio do jesuitismo e a segunda vez pelo esclarecimento democrático: - com o auxílio da liberdade de imprensa e a leitura dos jornais, podia ser efetivamente percebido que o espírito não se encontra tão facilmente em "crise"! (Os alemães inventaram a pólvora - máximo respeito! Mas já se reabilitaram - inventaram a imprensa!) Mas nós que não somos nem suficientemente jesuítas, nem democratas, nem tampouco suficientemente alemães, nós, bons europeus e espíritos livres, muito livres, nós ainda temos a grande "crise" de espírito e toda a tensão de seu arco! E talvez também a seta, a missão, e, quem sabe?, o alvo...

Sils - Maria
Junho de 1885

PRIMEIRA PARTE
Preconceitos dos filósofos

PRIMEIRA PARTE

DOS PRECONCEITOS DOS FILÓSOFOS

de todos os perigos.

2

Como poderia uma coisa ter sua origem em seu contrário? Por exemplo, a verdade no erro? A vontade de atingir a verdade na vontade de atingir o falso? A ação desinteressada no

1

A vontade de atingir a verdade nos seduzirá ainda para muitas aventuras, esta famosa vontade da veracidade, tão venerada por todos os filósofos, que problemas esta vontade já nos ofereceu!

Que estranhos, malignos e difíceis problemas! É já uma longa história, e, contudo, não parece ter apenas ontem começado? Não é maravilhoso que nos sintamos finalmente desconfiados, percamos a paciência e nos viremos impacientes? Não o é também que tenhamos aprendido desta Esfinge a propor perguntas?

Mas, *quem* propriamente nos pergunta agora? Que é que em nós tende *à verdade?* Realmente, vacilamos muito tempo em perguntar a causa desta vontade, tanto que ficamos completamente parados ante uma pergunta ainda mais fundamental. Perguntamos qual seria o *valor* desta vontade.

Supondo que queremos a verdade, *por que não melhor* a mentira, ou a incerteza, ou a própria ignorância? Apresentou-se ante nós o problema do valor da verdade, ou fomos nós em sua busca? Quem de nós é Édipo? Quem de nós é a Esfinge? Isto é um encontro de perguntas e pontos de interrogação. E contudo, quem o acreditaria! Parece-nos até que nunca foi proposto o problema, como se fôssemos o primeiro a discerni-lo, a vê-lo, a afrontá-lo. E há grande perigo em afrontá-lo, e talvez seja o maior de todos os perigos.

2

Como poderia uma coisa ter sua origem em seu contrário? Por exemplo, a verdade no erro? A vontade de atingir a verdade na vontade de atingir o falso? A ação desinteressada no egoísmo? A pura e radiante contemplação ascética do sábio no charco da concupiscência?

Tal origem é impossível; quem o imagina é um insensato, é ainda algo pior; as coisas de um valor supremo têm de ter outra origem *própria*; é impossível derivá-las deste mundo miserável, passageiro, sedutor e enganador, deste labirinto de loucuras e de cupidez. No seio do ser, do imperecedouro, do deus escondido, da "coisa *in se*", aí está sua origem e em nenhuma outra parte. Este método de julgar nos apresenta o preconceito típico que revelam os metafísicos de todos os tempos; este método de apreciar forma o segundo plano de todos os seus procedimentos lógicos; partem deste ponto, de sua "fé", tratando de chegar ao "conhecimento", ao que chamam "verdade". A *crença* fundamental dos metafísicos é a *crença na antítese dos valores.*

Nem ainda aos mais prudentes se lhes ocorreu duvidar das origens, onde a dúvida era mais necessária; nem até aos que se haviam proposto *de omnibus dubitandum.* Em primeiro lugar, é lícito duvidar se as antíteses existem, e, em segundo lugar, também duvidar se a avaliação vulgar e a antítese de valores, nas quais imprimiram sua marca os metafísicos, não serão talvez uma mera avaliação, meras perspectivas provisórias, procedentes provavelmente de algum ângulo, talvez de baixo – "perspectivas de rã", para usarmos uma expressão corriqueira entre pintores.

Apesar de todos os valores, o valor da verdade, do verdadeiro, do desinteresse, poderia, contudo, suceder que fosse necessário atribuir à aparência, à vontade do erro, ao interesse e à cupidez um valor superior e mais fundado e mais útil para toda a vida. Até poderia suceder que *o que* constitui o valor daquelas coisas boas e veneradas consistisse em serem elas insidiosamente relacionadas, enlaçadas e alinhavadas com as coisas más e aparentemente contrárias, as quais se identificam em essência.

Talvez! Mas, quem cuida de uns "talvezes" tão perigosos? Para que isso suceda é preciso esperar o advento de uma nova espécie de filósofos, que tenham inclinações e gostos diametralmente opostos aos atuais. Filósofos do perigoso "talvez" em todos os sentidos. E falando seriamente parece-me que os vejo surgir.

3

Depois de ter lido, com olhar penetrante, por muitos anos as obras dos filósofos, digo a mim mesmo: é preciso colocar a maior parte do pensar consciente entre as funções do instinto e também o pensar filosófico; é preciso começar de novo, desaprender e reaprender, como se fez em relação ao hereditário e ao "atávico". Assim como o fato do nascimento entra em consideração toda a série e processo da hereditariedade, o "conhecer-se" em sentido decisivo não pode, em suma, *opor-se* ao instinto.

Quase todo o pensar consciente do filósofo está dirigido secretamente por seus instintos, que o obrigam a seguir por um determinado caminho.

Ainda atrás da lógica e da autonomia aparente de sua marcha, ocultam-se estimações de valores, ou, mais claramente, postulados fisiológicos para a conservação de tal ou qual espécie de vida. Por exemplo, que o determinado tenha mais valor que o indeterminado, que a ilusão valha menos que a "verdade": tais estimações, apesar da importância reguladora que têm para nós, não são mais que avaliações superficiais, espécies de *niaisirie,* necessárias talvez para a conservação do ser como nós somos.

Se admitirmos que justamente o homem nem sempre é "a medida das coisas"...

4

A falsidade de um juízo não pode servir-nos de objeção contra o mesmo: talvez nossas palavras soem estranhamente. A questão é saber quanto ajuda tal juízo para favorecer e conservar a vida, a espécie e tudo quanto é necessário à sua evolução. Estamos fundamentalmente inclinados a sustentar que os juízos mais falsos (aos quais pertencem os juízos sintéticos *a priori*) são para nós os mais indispensáveis, e que não concedendo valor às ficções lógicas, não medindo a realidade com a regra puramente fictícia do mundo absoluto e imutável, não falseando constantemente o mundo mediante o número, não poderia viver o homem; finalmente, renunciar aos juízos falsos seria o mesmo que renunciar à vida, renegar a vida.

Admitir o erro como condição da vida é rebelar-se contra os atuais conceitos de valor, e uma filosofia que a tal se atreve coloca-se por isso além do bem e do mal.

5

O que mais leva os filósofos a olhar com semidesconfiança e semi-ironia não é ver, em suma, quão inocentes são e com que facilidade se equivocam e se desviam do caminho, nem ver quanta criancice e infantilidade têm, mas o mau procedimento em relação a ela, enquanto todos juntos fazem muito ruído e exibição de virtude quando o problema da veracidade é apenas tocado de leve. E todos intentam persuadir-nos de que suas opiniões são o resultado de um autodesenvolvimento da dialética fria, indiferente, olímpica e obtida por eles (para se distinguirem de toda classe de místicos que, mais honestos, porém mais ignorantes, falam de "inspiração").

O que existe no fundo de seus sistemas é uma proposição preconceitual, uma ideia ou "sugestão", que é geralmente seu desejo abstrato e filtrado; e defendem-na com razões formuladas posteriormente. São todos eles advogados que não querem ser assim considerados, geralmente astutos defensores e que batizam como verdades os seus preconceitos – e estão *muito longe* daquela fortaleza de ânimo de quem confessa isso para si mesmo; muito longe do bom gosto da franqueza, que proclama isso em voz alta, quer para pôr em guarda os inimigos e amigos, quer por orgulho ou para escarnecer de si mesmo. A *tartufferie* tão rígida como virtuosa do velho Kant, com a qual nos levou aos caminhos escorregadios da dialética para conduzir-nos, ou melhor, para desviar-nos para o seu *imperativo categórico*, é um espetáculo risível para nós, que sentimos um não pequeno prazer ao descobrir as finas malícias dos velhos moralistas e predicadores de moral.

Também nos faz rir aquele escamoteio de forma matemática com o qual Spinoza mascarou a sua filosofia – "o amor da sua *própria* sabedoria", compreendida esta expressão de modo justo, armando-a como de uma couraça para assustar a quem ousasse olhar frente a frente aquela virgem invencível,

Palas Atena; quanta timidez e debilidade nos revela esta máscara de um enfermo solitário!

6

A pouco e pouco compreendi que toda grande filosofia não é outra coisa que a confissão de seu autor, uma espécie de *mémoires* involuntárias e não anotadas. O propósito moral (ou imoral) constitui o verdadeiro germe vital de toda filosofia, do qual depois cresce toda a planta.

Na realidade, quando quer alguém explicar como tiveram origem as afirmações metafísicas mais abstrusas de um filósofo, é sempre bom (ou prudente) perguntar a si mesmo: A que moral tende? (ou a que tende ele?).

Por isso, não acredito que o "impulso para o conhecimento" seja o pai da filosofia, mas, ao contrário, outro impulso, ao qual o conhecimento serve de instrumento (ou talvez o errado conhecimento!).

Mas quem considere os impulsos fundamentais do homem com a perspectiva de determinar como atuaram como gênios (ou como demônios ou duendes) inspiradores achará que cada um deles fez a filosofia, quer num tempo, quer noutro, que cada um aspirou a apresentar-se como razão última da existência, como senhor legítimo de todos os outros impulsos. Todo impulso tende ao domínio, e, como *tal*, tende a filosofar.

Certamente que, no erudito, no homem de ciência, deveria suceder diferentemente – "melhor", se o quiserdes; ali talvez algo como um verdadeiro "impulso ao conhecimento", alguma espécie de pequeno mecanismo independente, que, tendo boa corda, trabalharia ativamente para esse fim, *sem* que nele o resto dos impulsos dos eruditos tenham grande participação. Por isso os verdadeiros interesses do erudito estão, geralmente, em outra parte: na família, talvez, ou no lucro, na política; é quase indiferente que seu mecanismo esteja colocado em tal ou qual ponto da ciência ou que o jovem trabalhador cheio de esperança faça de si um filólogo, um fungologista ou bom químico; para *especificar-se*, pouco importa seja isto ou aquilo. Ao contrário, no filósofo nada há de impessoal; sua moral, sobretudo, dá testemunho decisivo e decidido de *quem ele é*, quer dizer, da ordem hierárquica em que estão colocados os mais íntimos impulsos de sua natureza.

7

Quão maliciosos os filósofos! Não conheço sarcasmo mais venenoso que o epíteto de Epicuro contra Platão e os platônicos; chamou-os *Dionysiokolakes*. Precisamente significaria *aduladores de Dioniso* – consequentemente cortesãos dos tiranos, lambedores; mas também quis chamá-los *comediantes* (*Dionysokolax* era o significado popular daquela palavra). E nisto consiste a malícia do apodo de Epicuro a Platão.

Epicuro estava despeitado com a maneira grandiosa e com o efeito cênico do estilo de que Platão e seus discípulos eram mestres e que faltava a Epicuro. Ele, o velho mestre da Escola de Samos, permanecia oculto em seu jardim de Atenas, onde escreveu trezentos volumes, talvez por ódio ou por inveja de Platão, quem sabe! E foram necessários cem anos para que a Grécia chegasse a compreender quão grande tinha sido aquele deus ornamental dos jardins, Epicuro. Mas chegou a compreender?

8

Em todas as filosofias há um ponto em que a "convicção" do filósofo se apresenta em cena, ou para usar as palavras de um antigo mistério:

adventavit asinus
pulcher et fortissimus.

9

Quereis *viver* "segundo a Natureza?" Que equívoco de palavras, ó nobres estoicos! Imaginai um ser como é a Natureza, infinitamente pródiga, infinitamente indiferente, sem intuito nem consideração, sem piedade nem justiça, ora fecunda ora estéril, sempre incerta; imaginai a *indiferença* convertida em potência: Como podereis viver segundo esta indiferença?

Porventura, viver não significa querer ser algo diverso daquilo que é a natureza? Não significa estimar, preferir, ser injusto, limitado, querer-ser-diferente? E se supomos que vossa máxima "viver segundo a Natureza" significa no fundo "viver segundo a vida", como podereis agir *diferentemente?* Por que quereis um princípio fora do que sois, e do que deveis ser? Na verdade, acontece de outro modo; quando pretendeis na Natureza decifrar os maravilhosos artigos de vossa lei, quereis precisamente o contrário, autores maravilhosos e enganadores de vós mesmos.

Com vosso orgulho, pretendeis incorporar à Natureza vossa moral, vosso ideal; pretendeis que a Natureza seja "segundo a Stoa" e quereis conformar a vida à vossa imagem e semelhança; quereis fazer da vida uma monstruosa e perene glorificação e generalização do estoicismo. Com todo vosso amor à verdade, vos esforçais constantemente e com rigidez hipnótica para contemplar a Natureza *falsamente*, quer dizer estoicamente, até que por fim já não sejais capazes de contemplá-la de outro modo.

Um inconcebível orgulho vos infunde a esperança insensata de que *assim como* podeis tiranizar a vós mesmos, assim também a Natureza se deixa tiranizar: estoicismo equivale à tirania de si mesmo; e não dizem que o estoico não é uma *parte* da Natureza? Mas esta é a velha história; o que em outros tempos aconteceu aos estoicos acontece também agora a toda filosofia que começa a crer em si mesma; cria o mundo à sua própria imagem, e não pode proceder de outro modo, porque a filosofia não é outra coisa que o instinto tirânico, a mais espiritual *"vontade de potência"* da "criação do mundo", a vontade da "causa primeira".

10

O zelo e a finura, e não erro em dizer a astúcia, com que hoje em toda a Europa se enfrenta o problema do "mundo real e do mundo aparente", dá que pensar, dá que escutar; e quem não ouça aqui outro motivo que "a vontade de conhecer a verdade" não é dono de um ouvido muito apurado.

Em alguns casos, muito raros, pode admitir-se que uma tal vontade de conhecer a verdade, que um ânimo libertino e aventureiro, que um orgulho de metafísico ambicioso da posição perdida tenha lugar aqui, preferindo um punhado de *certeza* a uma carrada de belas probabilidades; admito também que existam puritanos fanáticos da consciência, os quais prefeririam um certo nada a um incerto qualquer coisa.

Mas isso seria niilismo, e indício de uma alma desesperada e mortalmente ferida, por muito que seja o adorno de semelhante virtude.

Os pensadores mais profundos e fortes e cheios de vida parece que pensam diferentemente: quando tomam partido *contra* a aparência e pronunciam com orgulho a palavra "perspectiva"; quando julgam a credibilidade do próprio corpo com um valor tão diminuto como a evidência de que a "terra está parada" e, aparentemente, renunciam de bom humor à propriedade mais segura (pois em que se acredita hoje mais firmemente que no próprio corpo?), quem sabe se no fundo não intentam reconquistar certa coisa que em outro tempo se possuiu ainda com maior *segurança?* Certa coisa da antiga posse fundamental que constituía a fé dos tempos de outrora, por exemplo, "a alma imortal", o "velho Deus", numa palavra, aquelas ideias que permitiam viver então melhor e com maior segurança e alegria, que a consentem as "ideias modernas"? Nestes filósofos acha-se certa *desconfiança* das ideias modernas no modo de ver as coisas, certa incredulidade contra tudo quanto se edificou ontem, e hoje, misturada talvez com uma espécie de saciedade, de fastio e de escárnio por tudo quanto não se sujeita ao *bric-à-brac* das origens mais diversas, como são os que hoje expõem à venda o positivismo. Talvez se encontre nos mesmos o asco por um gosto requintado, que se indigna com esta ruidosa exposição e feira de tantos filosofastros realistas, cuja única novidade é a barafunda de palavras. Numa coisa são de elogiar estes céticos antirrealistas e analisadores microscópicos da ciência moderna: o instinto que os afasta do realismo *moderno* é incontrastável. Que nos importa que se afastem dele pelos meandros do retrocesso? Neles o essencial não é que desejem *voltar,* mas que queiram afastar-se.

Um pouco *mais* de força de inspiração, de valor, de poder artístico, e, em vez de voltar, tenderão a sair.

11

Parecem-me que hoje se tende a não exaltar tanto a influência de Kant na filosofia alemã e a reduzir ignobilmente o valor que a ele se atribui, e ele a si mesmo. Kant estava muito orgulhoso de sua tábua de categorias e costumava dizer com ela na mão: "Esta é a coisa mais difícil que já foi intentada na metafísica".

Note-se bem este "já foi intentada"; o orgulho de Kant era o de ter *descoberto* no homem uma faculdade nova, a faculdade dos juízos sintéticos *a priori.*

Se admitirmos que se tenha enganado, o desenvolvimento e rápido florescimento na filosofia alemã são devidos a este descobrimento, filho do orgulho e da porfia de todos os jovens na busca de descobrimentos ainda mais magníficos, quer dizer, de novas faculdades. Mas sejamos cordatos, que já é tempo. "De que modo são *possíveis* os juízos sintéticos *a priori?*", perguntou Kant a si mesmo; e, na realidade, que respondeu? "*Pela faculdade de uma faculdade*"; ele não o disse com essas poucas palavras, mas, ao contrário, com uma exposição tão pormenorizada e tão venerável, com tanto ímpeto de contornos e de profundidade, que logo de início não se percebeu a cômica *niaiserie allemande* que se ocultava em tal resposta.

Ficaram os homens loucos de contentamento pela descoberta da nova *faculdade,* e o júbilo conheceu seu zênite quando ajuntou Kant um novo descobrimento, a "faculdade moral no homem", pois, naquele tempo, os alemães eram ainda moralistas, e não como agora, "realistas políticos".

Aquela foi a lua de mel da filosofia alemã: todos os jovens teólogos do seminário de Tubinga se puseram a caçar novas *faculdades.* E quantas não se encontraram naqueles famosos tempos de inocência e de orgulhosa juventude do espírito alemão, arejado ainda com o malicioso hálito e as canções do romantismo, naqueles tempos em que "achar" e "inventar" tinham o mesmo significado.

Ante tudo, era necessária uma faculdade para o "sobrenatural": Schelling batizou-a com o nome de "percepção intelectual", e com isto pôde satisfazer aos desejos mais íntimos dos alemães, que sempre têm um fundo de piedade religiosa. O maior dano que pôde fazer-se a este movimento exuberante e excêntrico, realmente juvenil, embora misturado de conceitos misantropos e decrépitos, é tomá-lo a sério e ocupar-se dele com indignação moral. De qualquer modo eles envelheceram e o sonho desapareceu.

– Porque veio um tempo em que começou a gente a esfregar os olhos, e ainda hoje muitos os estão esfregando. Viu-se que era um sonho: quem, antes de todos, primeiro o sonhou foi o velho Kant. Tinha dito, pelo menos assim pensou, "pela faculdade de uma faculdade". Mas é isto uma resposta ou uma definição? Não é acaso uma repetição daquela pergunta: *Por que o ópio faz dormir?* "Pela faculdade de uma faculdade" equivale a dizer graças à sua *"virtus dormitiva"*, como respondeu o médico de Molière:

quia est in eo virtus dormitiva

cujos est natura sensus assoupire.

Mas tais respostas são boas para uma comédia, e já é, por fim, hora de substituir a proposição kantiana "como são possíveis os juízos sintéticos *a priori?*” com esta outra: “Por que é *necessário* acreditar em tais juízos?” e de compreender que semelhantes juízos devem *ser tidos* por verdadeiros para a conservação dos seres de nossa espécie; mas isso não impede que possam ser também *falsos!* E para falar com mais franqueza grosseira e fundamental: os juízos sintéticos *a priori* não devem ser *possíveis*; não temos nenhum direito sobre os mesmos; em nossa boca são apenas juízos falsos. Efetivamente necessitamos da fé em sua verdade e temos necessidade de tal crença fundamental e sensitiva como parte da óptica e perspectivas da vida humana. Muito bem; se pensarmos no imenso existo da “filosofia *alemã*” em toda a Europa – compreende-se muito bem o meu direito às aspas – não será lícito duvidar que a tal efeito contribui certa *virtus dormitiva.* A Europa, em meio de sublimes nulidades, de hipócritas, de místicos, de artistas, de cristãos e contemporizadores políticos, julgou-se feliz ao achar na filosofia alemã um contraveneno ao sensualismo prepotente que nos legou o século passado, quer dizer, achou, em suma, a maneira de *sensus assoupire.*

12

Quanto ao atomismo materialista, pertence este às teorias que foram melhor confutadas, e talvez não haja hoje na Europa nenhum homem de ciência tão ignorante que lhe atribua séria importância (a não ser para usos domésticos, quer dizer, como meio abreviado de expressão), e isto graças principalmente ao damaciano Boscowitch, que, junto com o polaco Copérnico, foi o maior e mais vitorioso adversário da aparência. Quero dizer que, assim como Copérnico nos persuadiu, contra toda a evidência dos sentidos, que a terra não é imóvel, assim Boscowitch nos ensinou a abandonar a crença na última coisa que ainda permanecia imóvel na terra, a crença na "substância", na matéria, no "resíduo terrestre" e numa partícula do átomo: este foi o maior triunfo que na terra se obteve sobre os sentidos.

Mas temos de ir mais adiante, e declarar também guerra à "necessidade atomística", que ainda vive numa vida póstuma e perigosa em regiões onde ninguém supõe, igual àquela célebre "necessidade metafísica".

É preciso fazer guerra sem quartel ao escalpelo; mas também de início aquele outro atomismo mais funesto, ensinado pelo cristianismo de modo mas longo e duradouro, isto é, o "atomismo da alma". Com esta expressão, seja-nos lícito aludir à crença que admite a alma como algo de indestrutível, de eterno, de indivisível, como uma mônada, um *atomon* esta crença deve eliminar-se da ciência. E não só por isso, seja dito entre nós, será necessário desembarcar-se da alma e renunciar assim a uma das mais antigas e veneráveis hipóteses "tal poderia suceder ao naturalista inexperto, que, logo que se aventura a tocar na alma", sente que ela desliza por entre os dedos. Não; temos aberto o caminho para novas configurações e subutilizações da hipótese da alma; conceitos semelhantes ao de "alma mortal" ou "alma como pluralidade de sujeitos" ou "alma como sistema social de instintos e afetos", pretendem já direito de cidadania na ciência.

O psicólogo *moderno*, ao extirpar as superstições que hoje pululam como luxuriosa vegetação dos trópicos em torno do conceito de alma, achar-se-á certamente transportado a um novo deserto, e lança à sua volta uma nova desconfiança; – é possível que os antigos psicólogos tenham tido uma vida mais cômoda e mais alegre; – e finalmente o moderno ver-se-á condenado a inventar, e, quem sabe, talvez a achar.

13

Muito deveriam refletir os filósofos antes de admitir o instinto da própria conservação como instinto cardial dos seres orgânicos.

Ao vivente apetece acima de tudo expandir sua própria força: a própria vida é *vontade de potência*. A autoconservação não é mais que uma *consequência* indireta e muito frequente daquela.

Numa palavra: aqui, como sempre, evitemos os princípios teológicos *supérfluos*, entre os quais está o instinto da autoconservação (que devemos à inconsequência de Spinoza). Assim o exige o método, que significa principalmente parcimônia de princípios.

14

Cinco ou seis cérebros começam hoje a entrever a ideia de que também a física não é mais que uma interpretação do mundo à medida de nossos desejos (com licença da palavra!), *não*, porém, uma explicação do universo.

Contudo, enquanto a física se funda na fé dos sentidos, tem valor e por muito tempo fará o papel de explicação. Em favor dela estão os olhos e os dedos, a evidência e a palpável; e tudo isso fascina, persuade, *convence* a uma geração dos gostos fundamentalmente plebeus; a física viverá porque segue instintivamente o cânone da verdade de um sensualismo eternamente popular. Que quer dizer claro? Que quer dizer esclarecido?

Apenas aquilo que se deixa ver e tocar; além daqui não deve avançar qualquer problema. Vice-versa, precisamente na repugnância contra a evidência dos sentidos consistia o encanto da filosofia platônica, que era uma filosofia *aristocrática*, e que consistia precisamente na resistência à óbvia evidência dos sentidos, talvez em meio de homens que podiam jactar-se de ter os sentidos mais vigorosos e refinados que os nossos contemporâneos, mas que consideravam como maior triunfo o tornarem-se donos dos sentidos, enredando seu turbilhão de sentidos por meio de pálidos, frios e cinzentos conceitos: "a plebe dos sentidos", costumava dizer Platão.

Proporcionava-lhes um esquisito *gozo* o sujeitar o mundo à interpretação platônica, tão diversa da que nos oferecem os físicos de hoje, os darwinistas e antiteologistas e os filólogos com seu princípio da "força mínima" e da estupidez máxima. "Quando o homem nada mais tenha a ver e tocar, já não necessita investigar mais"; este imperativo é muito diverso do platônico, mas próprio para uma geração rude e trabalhadora, para os mecânicos e construtores das pontes do futuro, os quais têm de fazer somente um trabalho intensamente grosseiro, e para eles será talvez o único imperativo categórico.

15

Para fazer fisiologia conscienciosamente convém, antes de tudo, ter presente que os órgãos dos sentidos *não* são fenômenos, no sentido da filosofia idealista; como tais não poderiam ser causas. É preciso admitir o sensualismo, ao menos como hipótese diretiva, se não se quer admiti-lo como princípio eurístico. Como existe quem assegure que o mundo exterior é obra de nossos órgãos? E em tal caso nosso próprio corpo, como um pedaço do mundo exterior, seria obra de nossos órgãos! Isto me parece um radical *reductio ad absurdum*, posto que o conceito *causa sui* é fundamentalmente absurdo. Por conseguinte, o mundo exterior não é obra de nossos órgãos.

16

Sempre há alguns talentos auto-observadores que acreditam possam existir "certezas imediatas", como, por exemplo, "eu penso", ou então segundo a superstição de Schopenhauer, "eu quero", como se fosse possível apreender puro e nu o objeto enquanto coisa *in se* e cuja visão não esteja falseada nem por parte do sujeito nem por parte do próprio objeto. Mas digo e repito cem vezes que a "certeza imediata", assim como o "conhecimento absoluto", e a coisa *in se*, encerram uma *contradictio in adjecto*, e que já é hora de subtrair-se ao encantamento das palavras. Deixai crer ao povo que esta cognição equivale a "conhecer até o fundo", mas o filósofo deve dizer a si mesmo: Se eu analiso o processo expressado na frase "eu penso", obterei uma série de audazes afirmações, as quais me será difícil ou talvez impossível demonstrar; por exemplo, que sou *eu* quem pensa, que em geral deva existir algo pensante, que o pensar seja uma atividade e efeito de um ser pensante como causa, que exista, por último, um *eu* o qual já saiba o que seja o pensar, que eu *saiba* que coisa é o pensar. Se eu não tivesse já decidido comigo mesmo, como poderia eu calcular que o que acaba de acontecer não seja talvez um "querer" ou um "sentir"?

Numa palavra, a frase "eu penso" pressupõe que eu *compare* meu estado atual com outros estados já de mim *conhecidos*, para poder determiná-lo: devido à reflexão para um "saber" diferente não pode ser considerada por mim como "certeza imediata". O povo poderá crer aqui na "certeza imediata", mas o filósofo acha-se diante de uma série de questões metafísicas, verdadeiros casos de consciência do intelecto, como são os seguintes: De onde tiro o conceito de *pensar*? Por que acredito na causa e no efeito? Que coisa me confere o direito de falar de um eu, e de um "eu que é causa" e, por último, de um eu que é "causa de pensamento"? O que tivesse a audácia de apelar para uma espécie de *intuição* para responder imediatamente a tais perguntas metafísicas como faz o que diz "eu penso e sei que ao menos isto é verdadeiro, real e certo", leria no semblante de um filósofo moderno um sorriso e depois pontos de interrogação: "Meu senhor - talvez lhe dissesse o filósofo –, é improvável que não vos enganeis; e então, por que será preciso dizer obstinadamente a verdade?"

17

No que concerne às superstições dos lógicos, nunca me cansarei de pôr em relevo um pequeno e vil fato que estes espíritos supersticiosos confessam de má vontade; quero dizer que um pensamento vem quando "ele" quer, não quando "eu" quero; de tal maneira, que seria *falsear* a verdade do fato assegurar que o sujeito "eu" é a condição do predicado "penso".

"Ele" pensa; mas que este "ele" deva ser o famoso e antigo "eu", não é mais que uma suposição, uma afirmação gratuita, tudo, menos uma "certeza imediata". Finalmente este "ele pensar" já contém em si uma *interpretação* do processo de pensar, e não pertence porém ao processo em si. Por força do costume gramatical, cremos que o "pensar é uma atividade" e como para toda atividade se requer algo que seja ativo, logo: o atomismo de outros tempos busca junto à "força eficiente" o grão de "matéria", o "átomo", no qual reside e do qual irradia atividade aquela força. Mas já cérebros mais sérios aprenderam a dispensar este "último resíduo terrestre", e talvez algum dia se habituarão os lógicos a dispensar este pequeno "ele" (no qual vimos volatilizar-se o honrado e antigo "eu").

18

Não é menor atrativo de uma teoria o ser confutável; precisamente por isso atrai os cérebros mais requintados. Parece-me que a teoria, cem vezes refutada, do "livre-arbítrio", só subsiste em virtude de tal atrativo: sempre chega alguém de novo que se sente com força bastante para refutá-la.

19

Os filósofos costumam falar da vontade como se fosse a coisa melhor conhecida do mundo; assim Schopenhauer nos ensina que somente a vontade nos é conhecida, absoluta e completamente conhecida, sem deduções nem adições. Mas me parece que também, neste caso, procedia Schopenhauer segundo o método de todos os filósofos; quer dizer, que se apropriou de um *preconceito popular,* exagerando-o. O querer me parece como algo *complicado,* algo que só tem unidade na palavra, na qual tem raízes o preconceito popular que se aproveita da eterna imprevisão dos Srs. Filósofos.

Sejamos, pois, mais cautelosos, pouco filósofos e digamos: Em primeiro lugar, toda vontade compreende uma pluralidade de sensações, quer dizer, a sensação de um estado *do qual se quer afastar,* e a de um estado *no qual se quer encontrar?*; a própria sensação desse "de onde" e desse "para onde" e ainda mais, uma sensação muscular, a qual, sem agitar "braços e pernas", por uma espécie de costume, torna-se ativa enquanto "queremos". E não só deve reconhecer-se como ingrediente da vontade o sentir, e um sentir múltiplo, mas também o pensar: em todo ato da vontade há um pensamento dominante, e não se acredite que possa separar-se do "querer" este pensamento, pois então não ficaria da vontade. Em terceiro lugar, a vontade não é só um complexo de sensações e de pensamentos, mas também uma *emoção,* e precisamente a de mandar. O que se chama livre-arbítrio é essencialmente a *emoção* de superioridade a respeito de quem deve obedecer: "eu sou livre, *ele* deve obedecer"; esta consciência é inerente em toda vontade, e também se acha na tensão da atenção, o olhar reto dirigido a uma só coisa, a valoração incondicional "de ser agora mister isto e não aquilo", a íntima certeza de que se achará obediência, finalmente, tudo o que é próprio de quem manda. Um homem que *quer* manda a alguma coisa dentro de si mesmo, a qual obedece, ou ao menos ele acredita que ela obedece.

E agora, considere-se o que há de extraordinário na vontade, nesta coisa múltipla que o vulgo designa com uma só palavra: como somos a um tempo os que mandamos e os que obedecemos, e ao obedecer experimentamos as sensações da constrição, da opressão, da resistência, que costumam seguir ao ato da vontade, e como, por outra parte, estamos acostumados a passar por alto sobre esta pluralidade, e por outro lado como costumamos enganar-nos acerca deste dualismo em virtude do conceito sintético "eu", atribui-se ao "querer" toda uma cadeia de conclusões errôneas e de falsas valorações da vontade; desta forma quem *quer* crer de boa-fé que a vontade *basta* para a ação. Como na maior parte dos casos, só houve vontade onde poderia *esperar-se* o efeito de uma ordem, portanto a obediência, a ação; por isso acontece que o *esperado*, a *aparência*, converteu-se no sentimento da *necessidade do efeito*; numa palavra, o que *quer* acredita com suficiente grau de certeza que a vontade e a ação, de algum modo, são a mesma coisa, e atribui o existo, e atribui a execução de seu querer à própria vontade, e deste modo aumenta em si próprio aquele sentimento gozoso do poder, sentimento que acompanha o existo. O "livre-arbítrio" é a palavra que expressa o conjunto de sensações agradáveis de quem quer, de quem manda, e que se identifica com aquele que executa e que, como tal, divide a alegria do triunfo sobre as resistências, julgando em seu foro íntimo que foi propriamente a sua vontade que as venceu.

Desta maneira o que *quer* confunde as sensações agradáveis de quem manda com as de quem executa, com as de tantas subvontades ou subalmas que estão a seu serviço, já que nosso corpo não é mais que um sistema social de muitas almas.

L'effet c'est moi: acontece aqui como numa comunidade bem-ordenada e próspera, na qual a classe governante se identifica com o bem-estar da república. Sempre que se *quer*, trata-se de mandato e de obediência sobre a base de um sistema social de muitas "almas", pelo qual um filósofo deveria reclamar para si o direito de considerar o "querer" em si mesmo sob o ponto de vista da "moral", da moral enquanto doutrina das relações de domínio e de obediência, nas quais tem origem o fenômeno "vida".

20

Que as isoladas ideias filosóficas não sejam arbitrárias ou ideias que nasçam de si mesmas, mas que, ao contrário, gerem-se em afinidade entre si, e que, embora apareça de improviso na história do pensamento, cada conceito pertença a um sistema, da mesma forma que cada espécie animal pertence à fauna de um continente, isto se manifesta precisamente na segurança com que os filósofos das escolas mais desvairadas sabem encher certo esquema fundamental das filosofias *possíveis.*

Como atraídos por um encanto invisível, movem-se novamente na mesma órbita, e quando se sintam independentes entre si pela vontade crítica ou sistemática, sempre há neles algo que os guia, que os incita a mover-se com passo cadenciado um atrás do outro, o qual consiste no sistema inato, na afinidade dos conceitos. Em suma, seu pensar não é tanto um descobrimento como uma recordação, como uma reminiscência, como um retorno à lonjura e antiquíssima economia complexa da alma, onde aqueles conceitos tiveram sua primeira origem: em tal sentido, o filosofar é uma espécie de atavismo de grau elevado.

A estranha semelhança que têm entre si as filosofias hindu, grega e germânica é fácil de demonstrar. Precisamente, onde subsiste uma afinidade de linguagem é absolutamente inevitável que, graças à comum filosofia da gramática, quero dizer, graças à inconsciente direção de iguais funções gramaticais, não esteja predisposto tudo *a priori* para um desenvolvimento análogo dos sistemas filosóficos, assim como parecem fechadas para a interpretação do universo outras possibilidades.

Os filósofos do território linguístico *ural-altaico* (onde o conceito de sujeito teve seu menor desenvolvimento) verão, provavelmente, as "coisas do mundo" muito diferentemente dos indo-germânicos ou dos muçulmanos; a proscrição de certas funções gramaticais são em última análise a proscrição dos juízos *fisiológicos* de valor e das condições de raça.

Isto é suficiente para refutar a superficialidade de Locke acerca da origem das ideias.

21

A *causa sui* é a mais formosa autocontradição que foi até agora pensada, é uma espécie de estupro da lógica, é algo contra a natureza; mas o desmedido orgulho do homem chegou a envolver-se profunda e terrivelmente nessa coisa sem sentido.

O desejo da "liberdade da vontade" no sentido superlativo metafísico que infelizmente ainda reina hoje nos cérebros semidoutos; o desejo de atribuir a si mesmo toda a responsabilidade de seus próprios atos, desobrigando a Deus, o mundo, os antepassados, o acaso, a sociedade, em última análise, é apenas o desejo de ser *causa sui* e de levantar-se a si mesmo pelos cabelos, com audácia mais que muchauseana, do pântano do nada até a existência das coisas.

E se alguém se adverte da simplicidade camponesa do famoso conceito "livre-arbítrio", e o cancela de seu cérebro, eu lhe rogaria que avançasse seu "esclarecimento" um passo mais e que cancelasse também em sua cabeça o conceito oposto e idiota à "vontade livre": penso na "vontade não livre" que não passa de um abuso de causa e efeito.

Não se cometa o erro de considerar causa e efeito como objetos, como acontece aos naturalistas e aos que "naturalizam" no pensamento, segundo o método dos cretinos mecanicistas, que predominam, e querem que a causa comprima e empuxe até produzir um "efeito".

É mister servir-se da "causa e do efeito", como de puros *conceitos*, isto é, como ficções convencionais para designar e compreender, *não* para "esclarecer".

No *in* se não há "nexos causais", não há "necessidades", não há "determinismo psicológico"; ali o efeito não é uma consequência da "causa"; ali não manda nenhuma "lei". Nós, nós somente, inventamos as causas, as sucessões, a relatividade, a necessidade, o número, a lei, a liberdade, o motivo, o fim; e se misturamos às coisas reais este mundo de signos, como "em si", continuamos fazendo *mitologia,* como sempre fizemos. A vontade determinada é mitologia; na vida real existem apenas vontades *débeis*. Quase sempre é um sintoma da sua própria deficiência sentir o pensador em tudo um "nexo causal", em toda "necessidade psicológica", algo de obrigação, de dever de obediência, de pressão de servidão.

Este modo de sentir trai a índole do indivíduo – a própria pessoa se trai. – E em geral, se minha observação não me engana, o "determinismo psicológico" considera-se de dois pontos de vista opostos, mas ambos muito pessoais: uns não querem despojar-se de sua própria "responsabilidade", da fé "em si mesmo", do direito pessoal aos próprios "méritos" (a estes pertencem as raças vaidosas); outros, pelo contrário, não querem responder nada, repelem todo mérito e toda culpa, e movidos por certo íntimo desprezo de seu próprio ser procuram *descarregar-se de toda a responsabilidade.*

Estes últimos, quando escrevem livros, monopolizam a defesa dos delinquentes; uma espécie de compaixão socialista é a máscara que lhes agrada. Realmente, o fatalismo dos fracos de vontade se embeleza maravilhosamente quando sabe apresentar-se como *la religion de la souffrance humaine*; *nisto* consiste *seu* "bom gosto".

22

Perdoem a um velho filólogo que não pode deixar de malignamente apontar o dedo para certas más e artificiosas interpretações; mas aquele "conformar-se da Natureza com as suas leis", de que vós, físicos, falais com tanto orgulho como se... existisse somente em virtude de vossa interpretação e de vossa má "filologia", não é um fato positivo; não é um "texto", mas somente uma adaptação ingenuamente humanitária, uma alteração do sentido, com o qual acreditais satisfazer aos instintos democráticos da alma moderna. "Igualdade universal ante a lei"; a "Natureza nisto não é diferente nem melhor do que nós"; um segundo pensamento de boa índole, no qual se esconde o antagonismo plebeu contra todo privilegiado e autocrático – uma espécie de segundo e requintado ateísmo –, mais uma vez mascarado.

Ni Dieu ni maître – eis aqui o que quereis, por isso dizeis "viva a lei natural"! – não é verdade? Mas, como já disse, esta é interpretação, não é texto, e poderia suceder muito bem que saísse alguém com aparelhos e artifícios de interpretação opostos aos vossos; e, em relação aos mesmos fenômenos, deduzisse precisamente o triunfo tirânico e inexorável da força que quer dominar e vos demonstraria com tal evidência que a "Vontade de Potência" é a regra absoluta e sem exceção, que todos os vocábulos e até a palavra "tirania" resultariam impróprios e pareceriam brandas metáforas demasiado humanas, e este intérprete chegaria depois às vossas mesmas conclusões, quer dizer, julgaria que este mundo segue seu curso "necessário" e "calculável"; *não* por estar regido por leis, mas por *carecer* em absoluto de lei, e toda força em todo o momento alcança suas últimas consequências.

E supondo que isto seja apenas uma interpretação – e vos apressurareis a abjetar-me? – Muito bem, tanto melhor.

23

A psicologia integral viu-se até hoje enleada de preconceitos e temeridades morais, e nunca ouso descer às profundidades. Concebê-la, segundo eu a concebo, como *"morfologia e desenvolvimento da vontade de potência"*, isto a ninguém passou nem sequer em pensamento: como naturalmente se percebe no que foi até agora escrito, e nisto se percebe um sintoma do que foi silenciado. A força dos preconceitos morais penetrou profundamente no mundo mais intelectual, no mais frio e aparentemente mais despreocupado e menos preconceitual, e, como era natural, operou prejudicando, impedindo, cegando e torcendo as ideias.

Uma fisiopsicologia propriamente dita luta com resistência ainda robusta e valorosa, e tanto mais o será uma doutrina que faz derivar todos os bons instintos dos maus.

Mas, supondo que alguém chegasse a considerar os afetos de ódio, inveja, cobiça, ambição, como afetos condicionantes da vida, como algo que deva existir necessária, fundamental e essencialmente, na economia geral da vida, e que por isso é suscetível de uma potencialidade ainda maior, para melhorar a vida, esse alguém sofreria enjoos com uma tal direção de seu juízo. E contudo, esta hipótese não é ainda a mais penosa e a mais estranha no reino infinito e quase inexplorado de noções perigosas; e, realmente, motivos para manter-se afastados abundam às centenas... para quem o pode! Por outra parte, se nossa nova foi até ali, então para diante! Cerrai os dentes! Abri bem os olhos! Mão firme no timão! Porque nossa nave passa *além* da moral; porque palmilhamos e talvez destruímos os últimos vestígios de nossa própria moralidade, porque tomamos e nos aventuramos neste rumo; mas que importa nossa pessoa! O que importa é que antes os atrevidos exploradores e aventureiros se abriram as portas de um mundo de conhecimentos mais *profundos*, e os psicólogos se dispõem a tal "sacrifício" - o qual *não* é certamente o *"sacrifício dell'intelletto"* - ao contrário poder-se-á pelo menos exigir que se reconheça novamente à psicologia o primeiro lugar entre as ciências, e estas lhe servem de preparo. Porque então a psicologia será novamente o caminho que conduz à investigação dos problemas fundamentais.

SEGUNDA PARTE
O espírito livre

24

O sancta simplicitas! Em meio de quão estranha simplicidade e falsidade vive o homem! Nunca nos cansamos de tanto maravilhar-nos ante tal prodígio, quando fixamos os olhos nesta maravilha!

Como soubemos tornar claras, livres, fáceis e simples todas as coisas que nos rodeiam! Como soubemos conceder aos nossos sentidos um passaporte para toda superficialidade, e ao nosso pensamento um desejo de saltos caprichosos e de conclusões desvairadas!

Como soubemos desde o princípio conservar nossa ignorância para gozar de uma liberdade, apenas compreensível, de uma imprevisão, de uma segurança e descuido, de coragem, de alegria de viver, de uma serenidade para gozar a vida! Sobre as bases sólidas e incomovíveis da ignorância pode fundar-se até o dia de hoje a ciência; pode fundar-se a vontade de saber sobre a base de uma vontade muito mais poderosa, a vontade de não saber, de incerteza, de mentira. E não como oposto, mas como um seu requintamento! E assim como a *linguagem*, aqui como em outras partes, não sabe libertar-se de sua grosseria e continua a falar de antíteses onde há degraus e alguns graus de sutilezas, assim a hipocrisia, exangue da *moral*, tornou-se irremessivelmente em nossa "carne e em nosso sangue"! E nos engrola as palavras na boca: de quando em quando nos lembramos disto e nos rimos em nosso interior ao pensar que o melhor de nossas ciências trata de nos entreter neste *mundo simplificado*, inteiramente artificial, alterado e falseado conscientemente; e também ao pensar que esta ciência ama voluntária ou involuntariamente o erro, porque, como vivente, ama a vida.

25

Depois de uma introdução tão alegre, escutai uma frase séria que dirijo aos mais sérios. Cuidai-vos muito, ó filósofos e amigos do conhecimento, de vos expordes ao martírio, de sofrer pela "*vontade de atingir a verdade*"! E evitai também de defenderdes a vós mesmos! Isto corrompe a inocência, a delicada neutralidade de vossa consciência, vos endurece para as objeções e para os panos encarnados; isso vos imbeciliza, vos embrutece e vos enfurece, quando em vossa luta com o perigo, com a calúnia, com a desconfiança, com a repulsa, em suma, com todas as piores consequências da inimizade, e sereis obrigados a representar o papel de defensores da verdade sobre a terra: como se a "verdade" fosse uma "pessoa" ingênua e boba, que necessitasse de defensores!

E precisamente vós, cavaleiros da Triste Figura, meus senhores vagabundos e tecelões de teias de aranha espirituais, vós o sabeis muito bem que não há nenhuma importância se tiverdes razão, como sabeis que nenhum filósofo, em suma, tem razão; que há maior verdade nos pontos interrogativos que podes atrás de vossas palavras e frases favoritas (e, se vem ao caso, também atrás de vós mesmos), que em todos os aparatos solenes de que as revestis entre os acusadores e ante os tribunais. Afastai-vos! Escondei-vos nas trevas! Usai bem a vossa máscara para que não vos tomem por outro, para que não vos temam!

E não esqueçais o jardim, o jardim com suas telas douradas! E rodeai-vos de pessoas que sejam como um jardim, ou que se assemelhem a uma música sobre as águas, quando se aproxima o anoitecer e o dia se torna recordações: buscai a *boa* solidão, aquela solidão livre, escolhida, leve, que vos permite ainda ser bons em qualquer sentido.

Quão venenosos, quão astutos e malignos vos torna toda guerra longa que se não pode combater abertamente com a força. Quão *pessoais* vos torna um medo demorado, uma longa atenção sobre os inimigos, possíveis inimigos! Tais párias da sociedade, há muito tempo perseguidos e perigosamente caçados - também os solitários obrigatórios, os Spinozas e Giordanos Brunos - concluem por ser sob a máscara mais espiritual, e talvez sem que eles mesmos os saibam, vingativos refinados, envenenadores (aprofunde-se um pouco nas bases da ética ou da teologia de Spinoza!) sem falar da bobice que se chama a indignação moral, que, no filósofo, é indício infalível de que se lhe escapou o seu humor filósofo.

O martírio do filósofo, seu "sacrificar-se pela verdade", põe a nu quanto tem de demagogo e de comediante; embora até agora o tenhamos olhado com uma espécie de curiosidade artística, pode compreender-se em relação a muitos filósofos o desejo perigoso de vê-lo também uma vez em sua "degeneração" (no mártir da rua, no berrador da tribuna ou na cena). Na verdade, ao ter o desejo, convém saber claramente *o que* se poderá ver, nada mais que uma diversão satírica, uma farsa fim de festa, uma incessante prova de que a grande tragédia propriamente *terminou*: se supusermos que toda filosofia fosse, ao nascer, uma longa tragédia.

26

Todo homem superior tende instintivamente a buscar uma cidadela e um esconderijo onde possa estar *livre* do vulgo, dos muitos, da maioria, onde possa esquecer a regra "homem" para sentir-se a si mesmo como uma exceção, excetuando o caso em que um instinto ainda mais forte o impulsione diretamente àquela regra como conhecedor no sentido grande e excepcional. Aquele que, no contato com os homens, não muda de cor, segundo as ocasiões, e não se põe verde ou cinzento pela repugnância, pelo asco, pela compaixão, pela tristeza, pelo isolamento, não é certamente homem de gostos superiores; mas supondo que não assume voluntariamente essa carga e pouca vontade, ele sempre foge dela e continua, como já foi dito, tranquilo e orgulhoso em seu castelo. Pois bem, há uma certeza: ele não foi feito para o conhecimento, não foi para isso predestinado. Se tal fosse, deveria dizer um dia: Para o diabo o meu bom gosto! A regra é mais interessante que a exceção – como eu, a exceção! – e *desceria,* e principalmente penetraria ali; *o estudo do homem* comum, estudo longo, sério, para esse fim exige muita simulação, abnegação, confiança e más companhias – toda companhia que não seja de seus iguais é má – forma a parte mais ingrata, mais nauseabunda, mais rica de desenganos.

Mas se tem boa sorte, como fazem jus as crianças mimadas do conhecimento, encontrará seu caminho quem abrevie e facilite sua tarefa; os chamados cínicos, os que reconhecem em si mesmos a animalidade, a vulgaridade, e "a regra", mas que possuem também um suficiente grau de espiritualidade, um prurido que os obrigue a defenderem-se dos *testemunhos,* e talvez se revolvam nos livros como se fosse no próprio esterco.

O cinismo é a forma única na qual as almas vulgares tangem a honestidade, e o homem superior deve abrir os ouvidos ao cinismo mais grosseiro e ao mais fino e considerar-se feliz quando falam o bufão desavergonhado ou o sátiro científico. E até há casos em que ao nojo se junta um atrativo: isto é, até por um capricho da Natureza, em semelhante bode indiscreto e símio vive o gênio, como no Abade Galiani – o homem mais profundo, o mais agudo e talvez o mais sujo do seu século – muito mais profundo que Voltaire, e, por conseguinte, mais taciturno. Com frequência sucede, segundo indicamos, que uma cabeça de sábio se acha num corpo de símio; uma inteligência superior numa alma vulgar, para os médicos e para os moralistas fisiólogos o caso não é raro.

E sempre que alguém fala sem amargura do homem, como de um ventre que tem duas classes de necessidades e de uma cabeça que tem uma; sempre que alguém não busque e não *queira* ver outra coisa que a fome, o instinto sexual e a vaidade, como se estas fossem as tendências essenciais e únicas no fundo das ações humanas; em suma, sempre que alguém fala *mal* dos homens e não com *malícia,* o que ama o conhecimento deve escutar com atenção e diligência, deve ter o ouvido alerta, onde se fala sem despeito. Já que o homem despeitado e que sempre lacera a si mesmo com os próprios dentes (ou em seu lugar o mundo, Deus ou a sociedade) poderá talvez, falando segundo o critério da moral, estar à maior altura que o sátiro risonho e autossatisfeito, mas em todos os outros sentidos se nos apresenta como o caso mais comum, mas indiferente e menos instrutivo. Ninguém mente tanto quanto o despeitado.

27

É difícil ser compreendido, principalmente quando se pensa e se vive (*gangasro-*

togat[1]) em meio de homens que pensam e vivem de diversa maneira, quer dizer, *kurmagati*[2], ou em suma, *ao salto de rã, mandeikagati*[3] – já vedes que faço todo o possível para que dificilmente me compreendam – e que devemos estar agradecidos a quem demonstra boa vontade ao interpretar-nos com finura. Mas quanto ao que concerne aos "bons amigos", que amam demais suas próprias comodidades e acreditam que têm direito a elas por sua qualidade de amigos, seria melhor que se lhes concedesse certo retiro onde desafogassem suas más interpretações (resta-nos rir), ou melhor seria abolir esses bons amigos (e também rir).

28

O mais difícil de traduzir de uma língua para outra é o *tempo* de seu estilo, que tem seu fundamento no caráter da raça, ou mais fisiologicamente, no tempo médio de sua "assimilação". Há traduções feitas com intenção honesta, que são quase falsificações e vulgarizações involuntárias do original; isto acontece porque não pode reproduzir-se o *tempo* enérgico, vivo e alegre do estilo, porque salta palavras e coisas quando perigosas.

O alemão é quase incapaz do *presto* em sua língua, por isso não pode traduzir as *nuances* mais alegres e mais temerárias do pensar livre e independente. Como ao alemão lhe é estranho de corpo e consciência as palhaçadas e as sátiras, são intraduzíveis para ele Aristófanes e Petrônio.

Toda gravidade, pesadez, o festivo grosseiro, espécies fastidiosas de estilo se desenvolvem entre os alemães com a maior exuberância; perdoem-me, a própria prosa de Goethe, com sua mescla de gravidade e de graça, não constitui exceção como espelho "do velho tempo" ao qual pertence e como expressão do gosto alemão, quando havia um gosto alemão que era um gosto rococó *in moribus et artibus.* Excetua-se Lessing, graças à sua natureza de ator, que conhecia muitas coisas e as sabia bem; não foi em vão tradutor de Bayle, e refugiava-se com preferência nas proximidades de Diderot e Voltaire e nos autores cômicos romanos; Lessing amava também no *tempo,* amava o espírito livre e fugia da Alemanha. Mas, como seria possível na língua alemã e nem sequer na própria prosa de Lessing seguir o *tempo* de Maquiavel, que em seu *Príncipe* nos faz respirar o ar fino e seco de Florença e que trata das circunstâncias mais graves num *allegrissimo* indisciplinado e talvez não sem o malicioso sentimento do artista pela antítese que oferece entre longos pensamentos, pesados, duros, perigosos por um lado, e por outro com uma rapidez de galope, com máxima disposição graciosa? E quem finalmente poderia ousar uma tradução alemã de Petrônio, o mestre inimitável do *presto* na inventiva, nas ideias e nas expressões, mais que qualquer outro até então? Que importam os miasmas de um mundo enfermo, mau e "velho", se aquele mundo tinha "asas de vento", de um vento rápido que dá saúde porque faz *correr!* E quanto ao que concerne a Aristófanes, gênio transformador e completo, o que basta para que se *perdoe* a existência do helenismo se considerarmos que apreendemos tudo quanto necessita de perdão e de glorificação. Nada sei eu de melhor sobre o oculto e a esfinge platônica do que aquele felizmente conservado *petit-fait*; em seu travesseiro mortuário não se encontrou nem "bíblia" nem nada de egípcio, de pitagórico, de platônico, mas Aristófanes. Como teria podido Platão suportar a vida, a vida grega à qual renegava, sem um Aristófanes?

29

O ser independente é pecúlio dos raros; é privilégio dos fortes.

Quem procurar ser, não só tem *direito* a tanto, mas *obrigação* e prova, com tal proceder, que não somente é um forte, mas um dissoluto temerário. Mete-se num labirinto, centuplica os perigos que já de *per si* traz a vida, entre os quais não é o menor o fato de ninguém ver como e quando ele se extravia do caminho, nem como vai sendo lenta e solitariamente destroçado por algum minotauro da consciência. Quando um tal ser se arruína irremissivelmente, o fato acontece tão longe da compreensão dos homens, que não sentem nem dele se compadecem: – e ele não pode voltar! Não pode voltar para a compaixão dos homens!

30

Nossas convicções mais elevadas devem parecer – e parecem – insensatez, e em certas circunstâncias até crimes às inteligências daqueles que não estão preparados ou que não são capazes para tal. O esoterismo e o exoterismo como foram formalmente distinguidos pelos filósofos tão em uso entre os hindus, os gregos, os persas e os muçulmanos em suma, onde quer que haja hierarquia e *não* igualdade, e direitos iguais – não se distinguem porque o filósofo esotérico veja as coisas exteriormente, sem julgá-las, nem estimá-las, nem penetrá-las; o essencial é que as vê de baixo para cima, enquanto o exotérico as vê de *alto para baixo!* Há alturas na alma desde as quais a própria tragédia deixa de ter o efeito de tragédia; e se todo o mal do universo se concentrara num só mal, quem ousaria dizer se a visão deste mal produziria necessariamente a compaixão e duplicaria deste modo o próprio mal?... O que serve de alimento e de fortaleza aos homens superiores deve ser quase um veneno para os homens inferiores, que são de uma espécie muito diferente. As virtudes de um homem comum seriam talvez no filósofo fraquezas e vícios, e é possível que um homem de disposições superiores degenere e se arruíne e só por isso chegue a possuir qualidades que nos levariam a venerá-lo agora como um santo, ele, naquele mundo inferior onde caiu.

Livros há que têm valor inverso de força vital superior e potente ou uma alma de força vital inferior e débil. No primeiro caso, são livros sedutores, corruptores, dissolventes; no segundo, exclamações de heráldica que indicam os mais fortes à valentia. Os livros que agradam a todo o mundo sempre fedem: o cheiro da plebe se lhes adere. Onde a plebe come e bebe e também onde venera, há sempre mau cheiro. Não vamos, pois, à igreja se quisermos respirar ar *puro.*

31

Os jovens costumam venerar ou desprezar sem aquela arte da "*nuance*", que é a mais formosa da vida; e naturalmente logo depois devem parar asperamente por ter julgado os homens ou as coisas com um *sim* ou um *não.* Tudo está disposto de maneira que o pior de todos os gostosos, *o gosto do incondicional*, seja cruelmente mistificado, e abusado, enquanto o homem põe certa arte em seus sentimentos e prefere experimentar algo artificial como fazem os verdadeiros artistas da vida. Parece que a ira e a veneração, próprias da juventude, não dão paz a si mesmas, até falsear a visão dos homens e das coisas e de tal forma que é capaz de zombar e experimentar neles as suas forças; já por si mesma, a juventude é enganadora e falsa.

Mais tarde, quando a alma jovem amargada por mil desilusões, desconfiada, vira-se contra si mesma, martirizada por tantas decepções, ainda apaixonada e ardente, apesar de suas suspeitas e remorsos, sente-se irada contra si mesma, despedaça a si mesma com impaciência, querendo vingar a sua longa cegueira, como se essa tivesse sido uma cegueira voluntária!

Nesta transição castigam a si mesmas com a desconfiança em seu próprio sentimento; martirizam seu entusiasmo com a dúvida, e até nós consideramos já a boa consciência como um perigo, por assim dizer um véu, um cansaço da mais requintada honestidade; e sobre tudo, tomar-se partido, principalmente *contra* a "juventude". Um decênio mais tarde compreendemos que tudo isto era ainda juventude.

32

Durante a época mais longa da história humana, conhecida com o nome de tempos pré-históricos, o mérito ou demérito de uma ação era deduzido de suas *consequências!* A ação por si mesma não era tomada em consideração, nem tampouco sua origem, mas sim como ainda se usa na China onde o mérito ou desonra dos filhos passa aos pais. A força retroativa do bom ou do mau êxito era a força que guiava a bondade ou a maldade de uma ação.

Chamaremos a este período de *período premoral* da humanidade; o imperativo "conhece-te a ti mesmo" ainda não tinha sido achado. Nos últimos dez mil anos, ao contrário, nas regiões principais da terra chegou-se até ao ponto de que a causa, e não o efeito, decida o valor das ações: isto é já de *per si* um grande acontecimento, uma notável perfeição do olhar e da medida, um efeito inconsciente do predomínio de valores aristocráticos, da fé na "origem"; é a característica de um período que pode chamar-se *moral* no sentido mais restrito; é a primeira tentativa de conhecer-se a si mesmo. Em lugar do efeito, a causa: que inversão da perspectiva! E certamente tal só foi alcançado à custa de longas lutas e indecisões! Mas uma nova e falsa superstição, uma singular estreiteza de interpretação: justamente com isso conquistou o poder; e a origem da ação foi interpretada mais determinadamente como uma origem da intenção; acreditava-se em geral que o valor de uma ação se fundamentava no da intenção. A intenção como origem integral e pré-histórica de uma ação; sob o império desse preconceito elogiou-se, vituperou-se; julgou-se e filosofou-se até hoje.

Mas aqui nos achamos ante a necessidade de nos decidirmos hoje por uma nova inversão e transmutação de valores graças à autorresolução renovada e ao aprofundamento do homem: Não estamos já no umbral de um período negativo, o qual poderia chamar-se período *extramoral?*

No dia de hoje, ao menos entre nossos imoralistas, nasce a suspeita de *não* ser precisamente a *intenção* o que dá o valor decisivo ao ato, mas, ao contrário, tudo o que é intenção, tudo o que pode ser visto, conhecido, "cônscio", pertence à superfície, à pele, e, como toda pele, indica algo, mas oculta ainda mais. Numa palavra, cremos que a intenção não é nada mais que um sinal ou sintoma que ainda necessita de explicação, um sinal suscetível de múltiplas interpretações e que nada significa por si mesmo; cremos que a moral, tomada em seu antigo sentido, no sentido de moral de intenções, foi um preconceito, talvez algo prematuro e provisório, como a astrologia e a alquimia, e em todo caso algo que se deve superar.

A derrota da moral, em certo sentido até a abnegação da moral: que seja esse o nome secreto para esse longo e obscuro trabalho, ao qual estão reservadas as consequências mais delicadas, mais honestas e também as mais malignas de hoje como pedra de toque viva da alma.

33

Não há remédio; é necessário empreender inexorável processo contra sentimentos de abnegação e de sacrifício para o próximo, contra toda moral altruísta, e também contra a estética da "contemplação desinteressada", que hoje serve para mascarar sedutoramente a castração da arte e procura dar-lhe uma boa consciência. Há demasiado encanto e demasiada sedução nestes sentimentos "para com os outros" e "*não* para mim", para que não se sinta necessidade de desconfiar duplamente e de perguntar se haverá nisto talvez seduções?

O *agradar* tais sentimentos aos que os têm e aos que comem seus frutos ou ao simples espectador não é argumento em favor deles, mas ao contrário exige certo cuidado. Sejamos, pois, cautelosos!

34

De qualquer ponto de vista da filosofia hoje, em que nos queiramos colocar, visto que em qualquer parte, a coisa mais certa e mais estável é a *erroneidade* do mundo, do que se certificam os nossos olhos; – em confirmação deste ponto militam muitas razões, que nos incitam a conjeturar que existe um princípio enganador na "essência das coisas".

E aquele que torna responsável o nosso pensamento e consequentemente "o espírito" da falsidade do mundo (digna escapatória, à qual deve chegar todo consciente ou inconsciente *advocatus Dei*), e que supõe que compreendemos mal este mundo, o espaço, o tempo, o movimento, como falsamente elucidado, deve achar nele mesmo um bom motivo de desconfiança do pensar em geral: Não foi acaso até agora o maior logro do nosso pensamento? E quem nos garante que não continuará fazendo o que sempre fez? Mas falando sério, a ingenuidade dos pensadores tem em si algo que comove e inspira respeito, aquela ingenuidade que lhes permite ainda em nossos tempos encarar a consciência e rogar-lhe que dê respostas *honestas,* por exemplo, se ela é *real* e por que mantém tão resolutamente fora de si o mundo exterior, e outras perguntas idênticas. O acreditar nas "certezas imediatas" é uma *nãiveté moral* que honra a nós filósofos; mas já é tempo de se não ser *"apenas homem mordis"*. Abstraindo da moral, aquela crença é uma estupidez que pouco nos honra. Admitindo que na vida burguesa a contínua desconfiança pode ser *indício* de "mau caráter", e ser, por conseguinte, uma coisa imprudente, aqui entre nós, além do mundo burguês e seus "sins" e "nãos", o que pode impedir-nos de ser imprudentes e dizer: O filósofo tem finalmente o direito ao "mau caráter", por ter sido o mais enganado sobre a terra, tem hoje o dever de ser desconfiado e de manter o olhar maligno de quem sai dos abismos da suspeita?

Que me perdoem a ironia desta máscara e desta frase sombria: já que aprendi a pensar de muito diverso modo acerca do enganar e do ser enganado. Aprendi a estimar de modo diferente e me preparo pelo menos para suportar um par de socos do furor cego dos filósofos que não querem ser enganados. E por que não? Que a verdade valha mais que a aparência não é mero preconceito moral, mas também a suposição menos provada do mundo.

Tenhamos o valor de confessar a nós mesmos que nenhuma vida poderia existir se não se baseasse em estimações e perspectivas visuais: e se algum dia, com o virtuoso entusiasmo de alguns filósofos, se quisesse abolir totalmente o "mundo das aparências", admitindo que isto seja possível, não ficaria de vossa "verdade" senão um "nada"!

Finalmente por que razão admitis haja uma contradição essencial entre o "verdadeiro" e o "falso"? Não basta admitir diferentes graus de aparência, sombras mais ou menos espessas, e tonalidades conjuntas da aparência, diferentes *"valeurs"*, como dizem os pintores? Por que o mundo, que *tanto nos importa*, não pode ser uma ficção? E a quem objeta que para toda ficção é necessário um autor, não se lhe poderia responder francamente: Por quê? Este "se requer" não pode ser também uma ficção? Não podemos ser um pouco irônicos para com o sujeito, assim como somos para com o predicado e o objeto? Não poderá o filósofo elevar-se sobre a fidelidade na gramática? Não chegou ainda o tempo em que a filosofia deve declarar-se inimiga da fé dispensada aos governantes?

35

Ó Voltaire! Ó humanidade! Ó imbecilidade! A "verdade", a *investigação* da verdade são coisas difíceis, e se o homem procede com demasiada humanidade, e se *"il ne cherche le vrai que pour faire le bien"* - aposto que não acha nada.

36

Admitindo que nada seja "dado" de real fora de nosso mundo interior de desejos e de paixões, e que não possamos elevar-nos nem nos baixar a nenhuma outra "realidade" que não seja a de nossos instintos - já que o pensar não é outra coisa que a relação de vários instintos entre si - por que não seria permitido fazer uma experiência e perguntarmos se este "dado" é *suficiente* por si mesmo para compreendermos o mundo chamado mecânico ou "material"?

Não pretendo entendê-lo como uma "ilusão", uma "aparência", uma "representação" (no sentido de Berkeley e de Schopenhauer), mas no sentido de que seja igualmente "real" como os nossos afetos, que seja uma espécie de forma mais primitiva do mundo dos afetos, no qual tudo está ainda encerrado numa potente unidade, como para diferenciar-se e transformar-se depois - e, portanto, sutilizar-se e debilitar-se - mediante o processo orgânico - uma espécie de vida impulsiva na qual todas as funções orgânicas que por si mesmas se regulam, a assimilação, a nutrição, a eliminação e o metabolismo existem ainda ligados sintaticamente como uma *pré-forma* da vida. E, finalmente, não é apenas lícito, mas um dever também do ponto de vista da honradez do *método lógico*, o acometer tal empresa. Não aceitar muitas espécies de causalidade enquanto a experiência de se satisfazer com a única causalidade não é levada ao último limite (até ao absurdo, com licença da palavra): tal é a moral do método, à qual hoje é impossível subtrair-se; isto decorre de sua "definição", como diria um matemático. A questão consiste nisso: se nós reconhecemos a vontade como *eficiente*, se cremos na causalidade (e crer *nisto* equivale a crer na causalidade geral), *devemos* intentar como hipótese a causalidade única da vontade. É muito natural que a força de "vontade" só possa proceder sobre outras "vontades", e não sobre a "matéria" (por exemplo, sobre os "nervos"); numa palavra, é necessário ter a coragem de enfrentar a hipótese de que, onde quer que haja "efeitos", trata-se de uma vontade que obra sobre outra vontade, senão toda ação mecânica até onde nela atua uma força, é um efeito da vontade. Supondo, finalmente, que se chegasse a explicar toda a nossa vida impulsiva como uma evolução e encruzilhada de uma só forma fundamental da vontade, quer dizer, da vontade de potência, como eu sustento, e supondo que se pudesse reduzir todas as funções orgânicas a esta vontade de potência, que nelas se pudesse descobrir também a solução do problema da geração e da nutrição (porque também isto é um só problema), ter-se-ia conquistado o direito de poder determinar a toda força agente com uma só definição: a *vontade de potência*. O mundo visto desde nosso interior, o mundo determinado e definido em seu "caráter intelegível", seria justamente "a vontade de potência", e nada mais.

37

Mas, como? Na língua vulgar não significava: Deus está refutado e o diabo não? Ao contrário! Ao contrário, meus amigos! E ademais, que diabos vos obrigam a falar a língua vulgar?

38

A Revolução Francesa, farsa terrível e inútil, se considerada de perto, foi bafejada pela sorte nos tempos modernos, porque todos os espectadores sentimentais e generosos da Europa lhe emprestaram à porfia a beleza de seus próprios entusiasmos, a ponto de o *texto desaparecer sob a interpretação.*

A mesma sorte poderia tocar a nossos vindouros, isto é, entendem falsamente todo o passado, e tornar suportável seu aspecto. Mas já não sucede *isso?* Não somos nós esses "nobres vindouros"? Não desaparece o passado à medida que começamos a compreendê-lo?

39

Ninguém considerará verdadeira uma doutrina somente porque nos faça felizes ou virtuosos, excetuando os joviais "idealistas" que se entusiasmam com o bom, com o verdadeiro e com o belo, e que num mesmo tanque fazem nadar desejos de toda a espécie: maliciosos e ingênuos. A felicidade e a virtude não são argumentos. Mas por outro lado também esquecem os espíritos ilustrados e prudentes que fazem alguém desgraçado e mau tampouco serve de argumentos. Uma coisa devia ser *verdadeira*, embora perigosa e nociva em alto grau; quer dizer, devia ser uma condição fundamental da existência a de ser necessário perecer por ter chegado ao pleno desenvolvimento das coisas; de modo que a robustez de uma mente se mediria pelo grau de "verdade" que fora capaz de sustentar, ou mais claro, pelo grau em que teve de diluir a verdade, adocicá-la, velá-la, amortecê-la, falseá-la. Mas está fora de dúvida que, para o descobrimento de algumas *porções* de verdade, os maus e os desgraçados são mais favorecidos e têm maior probabilidade de bom êxito, sem falar dos maus que são felizes, uma espécie da qual os moralistas não falam. Talvez a dureza e a astúcia sejam condições mais favoráveis para a formação de um espírito robusto e independente no "filósofo" que a bondade e a arte flácida e alegre de considerar levianamente as coisas, arte que se admira e aprecia com razão no homem de ciência...

E, portanto, não se deve aqui restringir o conceito "filósofo" somente ao filósofo que escreve livros, e menos ainda ao que estampa em livros sua *própria* filosofia. O último traço para completar a figura do filósofo liberal é a de Stendhal, e para salvação do gosto alemão não deixarei de sublinhá-lo, embora vá contra o gosto alemão: *"Pour être bon philosophe"*, diz o último grande psicólogo, *il faut être séc, clair, sans illusion. Un banquier, qui a fait fortune, a une partie du caractère requis pour faire des decouvertes en philosophie, c'est-à-dire, pour voir clair dans ce qui est.*

40

Tudo quanto é profundo gosta de mascarar-se; as coisas mais profundas odeiam a imagem e a semelhança. Não seria talvez o contrário a verdadeira forma de encobrir a nudez vergonhosa de um Deus?

Eis aqui uma pergunta duvidosa: seria curioso que nenhum místico a tivesse feito ainda. Há processos tão delicados que se procede muito sabiamente escondendo-os sob uma máscara de brutalidade para torná-los irreconhecíveis; há ações inspiradas de tanto amor e de tão exuberante magnanimidade, que seria necessário dar bengaladas em quem tivesse sido testemunha ocular das mesmas; com isto se lhe turvaria a memória. E ainda alguns conhecem a arte de turvar a própria memória e de maltratá-la, para vingar-se deste único cúmplice. É muito engenhoso o pudor. E não são as coisas piores aquelas de que se tem mais vergonha, atrás de uma máscara não há somente perfídia, também pode haver bondade na astúcia.

Eu poderia imaginar que um homem, que precisa esconder algo precioso, e frágil, rola pela vida como um grosseiro e redondo barril de vinho velho coberto de musgo e de arcos de ferro: assim o exige a delicadeza do pudor.

Um indivíduo, cujo pudor é profundo, encontra seus destinos e suas mais sutis resoluções em caminhos inacessíveis aos outros, e cuja existência ignoram até os amigos mais íntimos; oculta-lhes seus perigos mortais e também a reconquistada segurança de vida. Semelhante ser misterioso, que instintivamente se serve da palavra para calar e para dissimular, e que é inesgotável em meios de subtrair-se às respostas, *quer* e procura que, no coração de seus amigos; e ainda supondo que não queira, algum dia verá que apesar disso sua máscara existe lá e que é bom que exista. Toda a mente profunda necessita de uma máscara; em torno de uma mente profunda vai-se formando sem cessar uma máscara, graças à interpretação constantemente falsa e superficial de todas as suas palavras, de todos os seus passos, de todo sinal de vida que dela emane.

41

É mister demonstrar a nós mesmos que estamos destinados à independência e ao domínio, e isto deve ser feito em tempo oportuno.

É necessário não evitar esta demonstração, por perigosa que seja; é necessário passar por estes exames, embora sejamos a única testemunha e não tenhamos nenhum outro juiz. Não tomeis afeição a uma pessoa nem que ela vos mereça a maior afeição; toda a pessoa é uma prisão, um vínculo. Não vos algemeis à pátria, embora seja a mais desgraçada e necessitada de ajuda: mais fácil seria afastar o coração de uma pátria vitoriosa. Não vos algemeis à compaixão, nem se for destinada a homens superiores, cujo martírio raro e cuja impotência para a defesa o acaso vos deixa conhecer.

Não vos algemeis à ciência, por muito que os admiráveis descobrimentos vos atraiam, reservados em aparência justamente para nós. Não vos algemeis à ideia de vossa própria liberdade, do retiro, da inacessibilidade do pássaro que voa cada vez mais alto para ver cada vez mais coisas debaixo de si; o perigo dos que voam. Não vos algemeis às vossas próprias virtudes, porque correreis talvez o risco de que vosso ser venha a ser vítima de uma dessas qualidades separadas, por exemplo, e vossa "hospitalidade", que é o maior perigo das almas nobres e generosas, as quais se entregam com a pródiga indiferença e exageram a virtude da liberalidade, até convertê-la em vícios. É necessário *saber conservar* a si mesmo: eis aqui a prova mais forte de independência.

42

Surge uma nova espécie de filósofo: ouso batizá-los com um nome algo perigoso. Segundo eu adivinho, segundo eles mesmos deixam adivinhar (porque a especialidade desses filósofos é a de quererem ser sempre enigmáticos em alguma coisa), estes filósofos do futuro têm o direito, com razão ou sem ela, de serem chamados de "tentadores". Este nome, finalmente, não é mais que uma tentativa, ou, se se quer, uma tentação.

43

São novos amigos da "verdade" estes filósofos que vêm? É bem provável; porque até agora todos os filósofos amavam suas próprias verdades. Mas, certamente, não serão dogmáticos. Sentir-se-iam contrariados em seu orgulho e também em seu gosto se sua verdade estivesse ao alcance de todos, como foi até agora o íntimo desejo e o sentido recôndito de todas as aspirações dogmáticas. "Meu juízo é meu e os outros não têm direito facilmente a ele", dirão talvez os filósofos do futuro. Mister é libertar-se do mau gosto de ser da mesma opinião de muitos. A palavra "bem" não perde o valor quando o vizinho a pronuncia? Como, pois, poderia existir um "bem comum"? Esta palavra se contradiz a si mesma: o que se torna vulgar vale pouco. Finalmente, as coisas devem ser como são e como sempre foram: as coisas grandes, reservadas aos grandes homens, os abismos aos profundos, as doçuras e espasmos aos requintados; em suma, e definitivamente, tudo quanto é raro aos raros.

44

Será necessário que depois disto acrescente que também os filósofos do futuro serão espíritos livres, muito livres, certamente não serão apenas espíritos livres, mas algo muito mais elevado, muito maior, e fundamentalmente diferente, o que não deve ser incompreendido nem confundido? Mas, enquanto digo isso, sinto-me tanto contra eles quanto contra nós mesmos – nós, espíritos livres, que somos seus arautos, precursores na obrigação de varrer de nossa frente um antigo e tolo preconceito e equívoco que, como uma espessa névoa, ocultou por muito tempo o conceito de "espírito livre". Em todos os países da Europa e da América há quem abuse daquele nome; há uma espécie de espíritos muito estreitos, encarcerados, encadeados, os quais querem o contrário de nossas intenções e instintos, e eles devem ser considerados, em relação aos *novos* filósofos, como portas fechadas e janelas aferrolhadas. Simples e categoricamente pertencem à espécie de *niveladores*, falsamente chamados "espíritos livres", apenas escravos eloquentes e peritos na arte de escrever ao gosto democrático das "ideias modernas" que deles se derivam; todos eles sem solidão, sem a solidão pessoal, jovens bonachões, mas pesados, aos quais não negamos nem o valor nem os bons costumes, mas que não são homens livres, mas, ao contrário, superficiais até o ridículo, sobretudo por sua fundamental inclinação a ver nas formas da atual vetusta sociedade a causa de *toda* miséria humana e de todo mau êxito, de modo que invertem a verdade. Tendem com todas as suas forças ao contentamento universal dos rebanhos no prado; tendem a oferecer a cada cidadão uma vida segura, isenta de perigos, cômoda e fácil; seus mais frequentes estribilhos são "igualdade de direitos" e "compaixão para com todos os que sofrem", e até dizem que devera *abolir-se* o sofrimento.

Nós, pelo contrário, que abrimos nossa visão e nossa consciência à pergunta de onde e como nasceu e cresceu mais vigorosamente a planta *"homem"*, cremos que foi sempre em condições opostas e que para chegar a este fim deveriam ter aumentado monstruosamente as dificuldades de sua situação; que a imaginação do indivíduo, sua simulação (seu "espírito") sob uma longa opressão, tiveram de desenvolver finura e audácia, e que a vontade de viver teve de se sublimar até ser vontade de dominar: nós cremos que a dureza, a violência, a escravidão, os perigos externos e internos, o estoicismo, das artes diabólicas e tentadoras de má espécie, que todo o mal, todo o terrível, todo o tirânico, toda a brutalidade dos animais rapaces, toda a perfídia da serpente que se acha no homem, tudo isto contribui para realçar e aperfeiçoar o tipo "homem", tanto ou mais que seus contrários; e, ao dizer isso, não o dizemos tudo, mas já se vê por que dizemos e por que calamos, por que estamos no polo *oposto* de todas as modernas ideologias e aspirações pastoris; talvez sejamos seus antípodas! E que maravilha se nós, espíritos livres, não somos precisamente os mais loquazes e não desejamos proclamar a cada momento de *que coisa* pode livrar-se o espírito e para onde se sinta impelido? Apelando à perigosa fórmula "além do bem e do mal", com a qual nos preservamos do risco de ser confundidos com os outros, sabemos que somos algo diverso do *"livres-penseurs"*, *"liberi pensatori"*, "livres-pensadores", ou como queiram chamar-se estes advogados das ideias modernas.

Nós, donos, ou pelo menos hóspedes de muitas regiões do espírito; fugindo sempre dos lugares sem ar, nos quais pugnam por meter-nos nossas simpatias e nossas antipatias, a juventude, o nascimento, o acaso dos homens ou dos livros, até o cansaço de uma longa viagem; cheios de malignidade contra as iscas de dependência que se ocultam nas honras, no dinheiro, nos cargos públicos e nos entusiasmos sensuais; agradecidos até com as necessidades e enfermidades, porque nos descobriram a possibilidade de nos livrarmos de certa regra e de seus "preconceitos anexos"; agradecidos do que em nós é Deus e demônio, ovelha e verme; curiosos até o vício; investigadores até a crueldade; com dedos inescrupulosos que apalpam o impalpável, com dentes e estômago que desafiam as coisas mais indigestas; prontos para toda obra que requeira sagacidade; prontos para todas as aventuras, graças a um excesso de livre-arbítrio, cheios de almas e subalmas, cujas últimas intenções ninguém penetra, com fundo e duplos fundos, que nenhum pé atingiria por completo; escondidos na sombra em meio da luz; conquistadores, embora pareçamos herdeiros e dissipadores; classificadores e recolhedores desde a manhã até à noite; avaros de nossas riquezas e de nossas arcas cheias; econômicos no aprender e no esquecer, engenhosos para inventar esquemas; orgulhosos, às vezes, pelas tábuas de categorias; pedantes noutras; às vezes mochos noturnos do trabalho, ainda em pleno dia, e ainda, se necessário, espantalho; e hoje sim que é necessário porque somos os amigos natos, jurados e zelosos da solidão de nossa interna e mais profunda solidão, tanto na meia-noite como ao meio-dia; eis aqui o que somos, nós, espíritos livres! E, porventura, não sois também algo disto, vós, ó novos filósofos que estais por vir!

TERCEIRA PARTE
A essência religiosa

[illegible]

[illegible] para baixo o rumor dos acontecimentos perigosos e dolorosos e para ordená-los e restringi-los em fórmula. Mas quem poderia fazer-me tal serviço? E quem poderia estar aguardando tais servidores? São [illegible]

45

A alma humana e seus limites; o conjunto das humanas experiências até o dia de hoje; a altura, profundidade e distância de tais experiências; toda a história da alma até o dia de hoje e todas as suas possibilidades ainda inexploradas; eis aqui a verdadeira região de caça predestinada a um psicólogo que ama a "caça maior". Mas quantas vezes deve exclamar desalentado: "Estou só, ai de mim, nesta grande selva, neste bosque virgem".

E em vão busca uma centena de companheiros e de cães amestrados para auxiliá-lo na caça no bosque, os fatos da alma. Em vão: quanto mais experimenta, profunda e amargamente, mais difícil é achar tais companheiros e cães para tudo quanto diretamente lhe excita a curiosidade.

O inconveniente de mandar outros caçarem em terrenos inexplorados e perigosos, onde é necessário coragem, prudência, firmeza e sutileza em todos os sentidos consiste em que se tornam inservíveis onde começar a "caça grande" e também o maior perigo: é precisamente aí que perdem a firmeza da vista e a firmeza do olfato. Assim, por exemplo, para adivinhar e fazer constar quanta parte de história tenha tido até agora o problema da "ciência e da consciência" na alma dos *homines religiosi*, seria necessário que o investigador fosse tão profundo, tão dorido, tão desmesurado, como foi a consciência intelectual de um Pascal; e logo seria mister aquele amplo céu de espiritualismo sereno e maligno para poder olhar, de cima para baixo, o rumor dos acontecimentos perigosos e dolorosos e para ordená-los e restringi-los em fórmula. Mas quem poderia fazer-me tal serviço? E quem poderia estar aguardando tais servidores? São evidentemente muito raros, e são profundamente inverossímeis em todos os tempos! O fim é fazermos *tudo sozinhos* se queremos saber algo; mas isto é um trabalho árduo. Mas uma curiosidade como a minha é o mais agradável dos vícios – perdoem-me!

Queria dizer que o amor à verdade obtém seu galardão antes na terra e depois no céu.

46

A fé, como exigia e não raramente a obtinha o cristianismo primitivo, em meio de um mundo cético e meridionalmente liberal, que deixava atrás de si uma luta dez vezes secular de escolas filosóficas, e que estava juntamente educado para a tolerância, para a grande tolerância da qual resultou *o imperium romanum*, não era já a fé ingênua e rústica de súditos com a qual um Lutero, ou um Cromwell, ou qualquer outro espírito bárbaro do Norte, permaneceu jungido a seu Deus e ao seu cristianismo, mas acercava-se à fé de Pascal e se assemelhava a um horrível suicídio lento da razão, da razão longeva e tenaz, semelhante ao verme e que não se deixa matar de um sacrifício de toda liberdade, de todo orgulho, de toda autoridade do espírito, e ao mesmo tempo subjugação, ironia e a mutilação de si mesmas. Existe uma grande crueldade, um *fenicismo* religioso, nessa fé que quer impor-se a uma consciência tenra, múltipla e amimada: é uma condição principal levar consigo a submissão dos espíritos a uma *dor* indescritível; que todo o passado e os hábitos do espírito se rebelam contra o *absurdissimum* da fé ante ele. Os homens modernos, com sua indiferença pela nomenclatura cristã, não sentem mais o superlativamente horrível que para o gosto dos antigos se encerrava naquela fórmula paradoxal de "Deus na cruz". Mas é certo que nunca houve em parte alguma uma tal audácia para inverter os temas; nunca houve fórmula tão terrível, tão interrogativa e tão discutível; prometia uma revolução radical de todos os valores antigos. Era que o Oriente, o *profundo* Oriente, o escravo oriental vingava-se de Roma e de sua tolerância aristocrática e frívola; burlava-se do *catolicismo* romano da incredulidade; não foi a fé, mas a liberdade da fé e a indiferença estoica e sorridente contra a seriedade da fé, o que suscitou a ira dos escravos contra seus senhores e os moveu a rebelarem-se.

A "Ilustração" rebela, porque o escravo quer somente o incondicionado, não compreende senão o tirânico, na moral, como em tudo; ama e odeia sem *nuance*, até a profundidade, até a dor, até a enfermidade; toda a sua grande miséria *clandestina* rebela-se contra o gosto aristocrático, que parece *negar* o sofrimento. O ceticismo ante a dor, no fundo uma atitude de moral aristocrática, contribui também para a última grande insurreição de escravos que teve seu início na Grande Revolução Francesa.

47

Onde quer que até hoje se tenha manifestado a neurose religiosa, achamo-la unida a três perigosas prescrições dietéticas: solidão, jejum e abstinência sexual; porém não se pode estabelecer com certeza qual seja a causa e qual o efeito, nem *se* existe aqui relação de causa e efeito. Esta última dúvida está justificada pela circunstância de que, entre os sintomas que costumam acompanhar esta enfermidade, tanto nos povos selvagens como nos civilizados, é acompanhada da mais imprevista e desenfreada voluptuosidade, que logo com a mesma celeridade se converte em fanatismo de contrição, em renúncia do mundo e da vontade; deve buscar-se a explicação numa epilepsia mascarada? Mas em parte alguma se deviam dispensar as explicações: porque em derredor de nenhum outro tipo pulularam, com tanta louçania, a superstição e o absurdo, nenhum outro tipo interessou tanto aos homens e aos filósofos – já é tempo de serem mais serenos, mais circunspectos, e talvez devam afastar os olhares e dali se retirarem. Até no fundo da filosofia mais recente, na schopenhaueriana, achamos como problema essencial esta horrível pergunta da crise religiosa que desperta: Como é possível a negação da vontade? Como é *possível* o santo? Tal parece ser a pergunta que tornou filósofo a Schopenhauer e da qual parte sua filosofia. E por uma consequência claramente schopenhaueriana, seu discípulo mais fiel (e talvez o último na Alemanha), Ricardo Wagner, coroou a obra de sua própria vida apresentando-nos aquele tipo terrível e eterno de *Kundry type vécu* em carne e osso; precisamente quando todos os alienistas da Europa tinham ocasião de estudar de perto a neurose religiosa, ou, como eu digo, a *essência religiosa,* em sua última irrupção epidérmica e como foi criada – o *exército de salvação*, perguntando-se, porém, o que propriamente tornou tão imensamente interessante o homem de todos os tempos e também o filósofo em todo o fenômeno da santificação, sem dúvida é a aparência do milagre unido a ele, aquela *sucessão imediata de contrastes,* de estados de alma estimados como moralmente opostos; acreditava-se tocar com a mão a transformação súbita de um homem "pecador" em homem bom e em "santo".

A psicologia naufragava neste escolho: Seria talvez por estar sob o domínio e por *acre-*

ditar, ela mesma, nos contrastes de valores morais que entrevia, lia e interpretava no texto e nos fatos?

Mas como? Não seria o milagre um erro de interpretação, uma falta de filosofia?

48

Parece que as raças latinas sentem com mais força o catolicismo que nós, os do Norte, o cristianismo; e por conseguinte, a incredulidade nos países católicos deve significar algo diferente do que sucede nos países protestantes, porque ali equivale a uma espécie de rebelião contra o espírito de raça, enquanto que em nós denota melhor um retorno ao espírito (ou à falta de espírito) de nossa raça. Nós, os do Norte, procedemos, indubitavelmente, de raças bárbaras, ainda no que concerne ao talento religioso, do qual não estamos bem-dotados. Excetuam-se os celtas, os quais, por isto mesmo, foram o melhor terreno para a propagação da infecção cristã nos países do Norte; na França, o ideal cristão, enquanto o consentia o pálido sol do Norte, chegou ao seu máximo desenvolvimento. Quão estranhamente piedosos pareceram os últimos céticos franceses ante o nosso gosto, enquanto algo de celta está em suas veias. Quão católico e antialemã nos cheira a sociologia de Augusto Comte com sua lógica romana dos instintos! Quanto odor de jesuitismo há no amável e prudente cicerone de Port-Royal, Sainte-Beuve, com toda a sua aversão aos jesuítas! E que me dizeis de Ernesto Renan? Quão inacessível é para nós, os do Norte, a linguagem de Renan, na qual há sempre um princípio religioso que lhe faz perder o equilíbrio da alma de sua alma no sentido mais requintado, de sua alma voluptuosa e flácida! Repita-se mais uma vez essas formosas frases – e que malícia e impertinência se apresentaram em nosso espírito, menos belo, mais rude, mais alemão: "*Disons donc hardiment que la religion est un produit de l'homme normal, que l'homme est le plus dans le vrai quand il est le plus religieux et le plus assuré d'une destinée infinie...*

C'est quand il est bon qu'il veut que la vertu corresponde à un ordre eternel, c'est quand il contemple les choses d'une manière desinteressée qu'il trouve la mort revoltante et absurde. Comment ne pas supposer que c'est dans ces moments-là, que l'homme voit le mieux?"

O tom destas frases é tão antipodal aos meus ouvidos e aos meus hábitos que a minha primeira reação foi escrever à margem: "*La niaiserie religieuse par excellence*". Mas minha última reação foi concluir por julgar gratas essas palavras, que põem a verdade de cabeça para baixo. É tão esquisito e tão honroso ter seus próprios antípodas!

49

O que mais nos admira na religiosidade dos antigos gregos é a exuberante corrente de *gratidão* que respira: é uma espécie superior de homem a que ocupa tal posição ante a Natureza e ante a vida. Mais tarde quando a plebe obteve na Grécia a supremacia, o *temor* invadiu também a religião e o cristianismo preparou o terreno para si próprio.

50

O amor a Deus! Há espécies de amor rústico, sincero e insistente como o de Lutero. Todo o protestantismo carece de "*delicatezza*" meridional. – Há o êxtase oriental do escravo favorecido e exaltado sem mérito; por exemplo, Santo Agostinho, no qual nos ofende a falta de atitudes e de apetites aristocráticos. Há a delicadeza e concupiscência feminil, que, pudorosa e ignorante, aspira a uma *unio mystica et fisica*, como na senhora de Guyon. Em muitos casos se revela uma transformação da puberdade de um moço ou moça; em outros se esconde o histerismo da última ambição de uma solteirona. Nestes casos frequentemente a Igreja canoniza a mulher.

51

Até o dia de hoje, os homens mais poderosos se inclinaram respeitosamente ante o santo, como ante o enigma da submissão, da privação voluntária. E por que se inclinaram? Porque pressentiam neles – ou melhor, na incógnita de seu aspecto mesquinho e miserável – a força superior que se fortalecia e tremia com tal vitória sobre si mesma, a força da vontade, na qual reconheciam e honravam sua própria força, seus próprios desejos de dominar; quando veneravam o santo, veneravam a si mesmos. Além disso, a visão do santo lhes inspirava uma suspeita; diziam e perguntavam: uma tal monstruosidade de negação, tão contrária à Natureza, não será desejada e querida em vão; talvez haja nisto um motivo, um perigo, um grande perigo, que é revelado ao asceta que, graças aos que o buscam persuadir secreta e patentemente, desejaria ser informado mais amiúde. E os poderosos da terra dele suspeitaram e aprenderam um novo temor, uma força nova, um enigma desconhecido e ainda invicto: "a vontade de potência" foi o que os obrigou a deterem-se ante o santo. Deviam perguntar-lhe...

52

No Antigo Testamento judeu, que é o livro da justiça divina, os personagens, as coisas, os discursos, tudo é de um estilo grandioso, tão grandioso que nada achamos de parecido na literatura grega nem na hindu.

Ante essas imensas relíquias detemo-nos colhido de terror e de veneração ao perceber o que foi o homem, e comparando a Ásia à pequena península Europa, a qual pretende simbolizar o "progresso da humanidade", assaltam-nos pensamentos pouco agradáveis. Certamente, o que é senão um débil animal doméstico, cujas necessidades são precisamente as de um animal doméstico, e os homens cultos de hoje (sem excetuar os cristãos cultos) não sabem sequer maravilhar-se nem se entristecer ante aquelas veneráveis ruínas. O gosto que acham no Antigo Testamento é a pedra de toque entre o "grande" e o "pequeno", e julgam talvez que o Novo Testamento, o livro da graça, toca mais ao seu coração (isto é muito do odor do genuíno, do terno, do estúpido beato de alma mesquinha em si).

E juntar este Novo Testamento (uma espécie de *rococó* do gosto em todo sentido) ao Velho Testamento num só livro, a "Bíblia", o "livro em si", foi talvez a maior temeridade, o maior "pecado contra o espírito" que pesa sobre a consciência da Europa literária.

53

Por que hoje o ateísmo? O "padre" em Deus já foi fundamentalmente refutado, e também o "juiz", o "remunerador". E também seu "livre-arbítrio" ele não ouve – e se ouvisse não saberia como ajudar. O pior nisso tudo é que ele parece incapaz de comunicar-se claramente: É ele confuso?

Tudo o que pude aprender, com muitos discursos, perguntando e escutando aqui e ali, acerca das causas da decadência do ateísmo na Europa, é que o instinto religioso vai aumentando poderosamente, mas repele com profunda desconfiança a satisfação teísta.

54

No fundo que faz toda a filosofia moderna? De Descartes para cá – na verdade, mais por oposição a ele que sob a base de seu método – um *atentat* foi praticado da parte de todos os filósofos contra a velha concepção de alma, sob a máscara de um criticismo da concepção de sujeito e predicado – quer dizer, *atentat* contra a suposição fundamental da doutrina cristã. Sendo a filosofia moderna um ceticismo epistemológico, é secreta ou abertamente *anticristã*, embora (para bons ouvidos deve ser dito) de maneira alguma antirreligiosa. Acreditava-se outrora "na alma" como se acreditava na gramática e no sujeito gramática; dizia-se "eu" é a condição, "penso" é o predicado e condicionado: pensar é uma atividade para a qual *é preciso* imaginar um sujeito como causa. Depois se intentou, com admirável tenacidade e astúcia, sair desta rede; pensou-se que talvez o contrário fosse verdade; que talvez "penso" fosse condição e "eu" o condicionado, e seria, portanto, o "eu" uma síntese produzida pelo próprio pensar, e *Kant* quis provar que, no fundo, partindo do sujeito, não pode ser demonstrado o sujeito nem o objeto. A possibilidade de *uma existência aparente* do sujeito isolado, e portanto da "alma", parece que não é nova, mas esta ideia, na filosofia dos Vedas, exerceu sobre a terra um poder imenso.

55

Existe uma grande escala de crueldade religiosa com muitos graus, entre os quais três são os mais importantes. Outrora eram sacrificados seres humanos ao seu Deus, talvez até os mais amados; a esta categoria pertence o sacrifício do primogênito, comum a todas as religiões pré-históricas, e também o sacrifício do Imperador Tibério na gruta de Mitra, na Ilha de Capri, que foi o mais horrível de todos os anacronismos romanos. Depois, durante a época moral da humanidade, sacrificou-se a Deus os instintos mais poderosos, a própria "natureza" humana; a alegria de tais sacrifícios brilha no olhar cruel do asceta, do fanático antinatural. Que ficava, finalmente, por sacrificar? Não devia chegar-se até o ponto de sacrificar o que há de consolador, de sagrado, de saudável, a esperança e a fé numa secreta harmonia, na bem-aventurança futura e na justiça?

Não se devia sacrificar o próprio Deus, e, motivado por crueldade contra si mesmo, adorar as pedras, a idiotice, a força de gravidade, o destino, o nada?

Sacrificar a Deus pelo "nada"; este paradóxico mistério, de uma extrema crueldade, está reservado à geração que vem, e todos nós já a percebemos.

56

Quem, como eu, impulsionado por algum enigmático desejo, dedicou longo tempo ao estudo do pessimismo e a libertá-lo da estreiteza e ingenuidade semicristã, semigermânica, com que neste século se apresentou a última vez, sob a forma da filosofia de Schopenhauer; quem olhou com olho asiático e hiperasiático até o fundo daquela filosofia que é a mais completa negação do mundo – além do bem e do mal, e não como Buda e Schopenhauer, dentro da absurda parede da moral –, este sim abriu os olhos ao ideal contrário, ao ideal do homem mais orgulhoso e mais exuberante de vida e mais afirmador do mundo, o qual não somente sabe contentar-se e resignar-se com *o que era e com o que é*, porém quer recuperá-lo assim como era e como é, gritando sem cessar não só para si, mas para todo o espetáculo e não somente para um espetáculo, mas aquele a quem é necessário o espetáculo e por quem é necessário; porque sempre é necessário a si mesmo e a si mesmo se torna necessário. E não seria isto *circulus vitiosus deus?*

57

Com o crescer da visão espiritual e da inteligência do homem, crescem ao derredor de si as distâncias e os espaços; o mundo torna-se mais profundo; no horizonte aparecem novos astros, novos problemas, novas imagens. Talvez tudo o que antes havia visto o olhar espiritual em sua argúcia e meditação era uma ginástica dos olhos, uma espécie de brinquedo para crianças e bobos; talvez algum dia os conceitos mais elevados, pelos quais tanto se tem lutado e sofrido, "Deus" e o "pecado", não terão para nós mais importância que a que um ancião concede aos brinquedos e aos sofrimentos da infância, e talvez então o "homem ancião" sentirá a necessidade de outros brinquedos, de outros sofrimentos: sempre criança ainda, uma eterna criança!

58

Observou-se que a vida estritamente religiosa, e o exame da consciência ao microscópio, e o estado de terna apatia que se chama "oração", e em que é contínua uma expectação da "vinda de Deus", requerem necessariamente a externa ociosidade, a semiociosidade, quero dizer o *dolce far niente*, de boa-fé, hereditário, inoculado no sangue, que guarda estreitas relações com o sentimento aristocrático de que o trabalho *deshonra*, quer dizer, que envilece o corpo e a alma? Observou-se, por conseguinte, que a laboriosidade moderna, ruidosa, avara de tempo soberba, nesciamente soberba, é o que mais aplaina e prepara o caminho para a incredulidade.

Por exemplo, entre os que atualmente vivem afastados da religião na Alemanha acho muitas gradações de "livre-pensadores"; mas são em maior número aqueles nos quais a laboriosidade, aumentada de geração em geração, apagou todos os seus instintos religiosos: estes já não sabem para que servem as religiões e tomam nota de sua existência no mundo com uma espécie de estupor apático. Sentem-se já muito ocupados aqueles valentes com seus negócios, com seus prazeres, sem contar a "pátria" os "jornais" e os "deveres de família"; e até parece que não encontram tempo para a religião e que nem sequer sabem se esta lhes oferece um novo afazer ou um novo passatempo, já que não julgariam possível que se vá à igreja unicamente para perder o bom humor. Não são inimigos dos ritos religiosos, e se em certos casos se veem obrigados a tomar parte neles, por exemplo, em alguma festa oficial, assistem com modesta e paciente gravidade, sem desejo e sem desgosto; vivem demasiado afastados e alheios a estas coisas para que encontrem uma razão *pró* ou *contra*. A esses indiferentes pertence hoje a maior parte dos protestantes da classe média, particularmente nos grandes centros do trabalho, do comércio e do transporte; também são assim a maior parte dos doutos laboriosos e todos os que vivem nas universidades (exceto os teólogos, cuja existência e possibilidade nesses centros oferecem ao psicólogo enigmas cada vez mais difíceis). Rara vez compreendem os homens religiosos ou eclesiásticos *quanta* boa vontade se requer hoje para que um douto alemão tome a sério o problema da religião; somente a sua laboriosidade profissional o faz propender a uma diferença serena, bonachona e indulgente para com as religiões, à qual se mistura talvez um leve menosprezo daquele "desasseio" de espírito que ele pressupõe em tudo o que professa uma religião. Só com a ajuda da história, não por própria experiência, logra obter o douto certa respeitosa seriedade se chegasse a estar-lhes agradecido, nem por isso se aproximaria nem um passo ao que se chama igreja ou devoção religiosa, antes pelo contrário. A indiferença prática em matéria de religião, na qual nasceu e foi educado, chega nele a converter-se numa espécie de pulcritude e asseio que se afasta de todo roçar com pessoas e coisas religiosas, e pode acontecer que a profundidade de sua tolerância e de seu humanismo lhe permita evitar a épocas posteriores, e quantas doses de ingenuidade infantil e ridícula há na fé *que o douto* tem de sua própria superioridade, na consciência de sua própria tolerância, na segurança simples e sincera que permite ao seu instinto considerar o homem religioso como um tipo de valor inferior e mesquinho, do qual ele se libertou e elevou; ele, anão presunçoso e plebeu; ele incansável trabalhador no campo manual e das "ideias", das "ideias modernas".

59

Quem olhar profundamente o mundo, facilmente adivinha quanta sabedoria se contém no fato de serem superficiais os homens.

O instinto de conservação ensina-lhes a serem leves, volúveis e falsos.

Acha-se aqui e acolá uma adoração apaixonada e exagerada das "formas puras", assim nos filósofos como nos artistas; mas está fora de dúvida que quem adora de tal modo a superfície fez algumas tentativas infrutuosas sobre ela. Talvez possam assinalar-se graus entre aquelas crianças que queimaram as mãos, entre os artistas de vocação, que acham o maior gozo na intenção de falsear a imagem da vida, como se fosse vingança; seu fastio da vida está na proporção de sua ação para falseá-la, para desvirtuá-la, para diluí-la, para generalizá-la, para divinizá-la, e ao grau mais elevado entre os artistas, pertencem os *homines religiosi*.

O medo íntimo e suspicaz, frito de um pessimismo incurável, obriga a humanidade, por milhares de anos, a tomar com os dentes uma interpretação religiosa da existência; é o medo instintivo que pressente que a verdade poderia ser conquistada muito antes que o homem tenha adquirido forças e arte para suportá-la. Considerada, sob este ponto de vista, a beatitude, a "vida divina", aparece como último e mais requintado recurso do medo ante a verdade; e a adoração e embriaguez do artista, como a mais consequente de todas as falsificações, a vontade de inverter o verdadeiro, a mentira a qualquer preço.

Talvez nunca houve meio mais poderoso que a devoção religiosa para embelezar o homem; graças a ela pode adquirir tanta arte, tal superfície e tal variação de cores e bondade, a ponto de seu aspecto tornar-se suportável.

60

Amar os homens por "amor de Deus" era até agora o sentimento mais remoto e aristocrático que já se alcançou entre os homens.

Que amar ao homem sem uma segunda intenção santificante seja uma estupidez *a mais* e uma brutalidade; que a inclinação a amar os homens deva partir de uma inclinação superior à média, à finura, e aos grãos de sal, ao pó de âmbar; quem por primeira vez "experimentou" tal sentimento e viveu segundo ele, por muito que balbuciasse sua língua para expressar um sentimento tão delicado, merece ser venerado por nós eternamente, porque foi o homem que se elevou à maior altura e que tomou o caminho errado pelo lado mais belo.

61

O filósofo, segundo *nós,* espíritos livres, o compreendemos; o homem da responsabilidade mais ampla, que tem a consciência do desenvolvimento mais completo do homem, servir-se-á das religiões como um meio de cultura e de educação, assim como se serve das contingências políticas e econômicas.

A influência seletiva e educadora (ou destrutiva, quer criadora, quer plástica) que se pode exercer por meio das religiões são várias e múltiplas, segundo os homens que se submetem ao seu encanto e nelas buscam proteção. Para os fortes, para os independentes, preparados e predestinados ao domínio, nos quais se personificam o entendimento e a arte da raça dominante, a religião é um dos tantos meios para suprimir obstáculos, para reinar; serve de vínculo para ligar a governantes e súditos, e ligações na consciência; traído e entregue aos primeiros, e se alguma vez certos caracteres aristocratas, por uma elevada espiritualidade, propendem para uma vida retirada e contemplativa
na qual reservam a forma mais delicada do

domínio (sobre os discípulos escolhidos, sobre os irmãos de sua ordem), a religião pode ser empregada como um meio de oferecer a tranquilidade, que foge do estrépito e do esforço de governar, e como um meio de não *se contaminar* no inevitável charco da política.

Bem compreenderam isto os brâmanes, diga-se como exemplo, que com a ajuda de uma organização religiosa obtiveram o poder para si: o de eleger um rei, enquanto eles permaneciam escondidos e afastados, e sabiam que sua função era superior à dos reis. Mas, entretanto, a religião prepara parte dos súditos dando-lhes instrução e oportunidade de prepararem-se para governar futuramente, isto é, aquelas classes e castas que subiram lentamente, nas quais, por felizes modalidades de matrimônio, a força e o desejo de vontade estão sempre crescendo: a eles oferece a religião motivos de choque e de tentação de seguir pelos caminhos da espiritualidade superior, um sentido do domínio de si mesmos no silêncio e na solidão; o ascetismo e o puritanismo são meios quase indispensáveis de educação e aperfeiçoamento para uma raça que quer triunfar de sua origem plebeia e elevar-se ao domínio futuro. Finalmente aos homens vulgares, que são o maior número, e que existem unicamente para servir e para ser úteis à comunidade, e que só por isto têm direito à existência, a religião lhes dá o valioso contentamento com sua condição e estado, e lhes oferece a paz múltipla de coração, um requinte de obediência, dá-lhes forças para dividir com os seus próximos a felicidade e o sofrimento, e eleva e transfigura a justificação da sua monótona existência, a baixeza e a miséria da semianimalidade de sua alma. A religião e a importância religiosa da vida são o raio de sol que embeleza a existência daqueles homens atribulados, e lhes torna suportável a visão de si mesmos, e influi, como a filosofia de Epicuro, nos sofredores de um grau superior, refinando e utilizando suas dores para santificá-los e justificá-los. Nada há mais respeitável no cristianismo e no budismo que sua maravilhosa arte de ensinar, até as mais ínfimas criaturas humanas, a maneira de elevar-se pela piedade a uma ordem aparente de coisas sublimes, para que deste modo se resignem com o mundo real, no que levam vida tão dura, e justamente essa dureza é necessária para prendê-los a si.

62

Finalmente, para organizar a corrente oposta e maligna a seus perigos: sempre é custoso e terrível quando as religiões, que deviam ser meios de cultura e de educação nas mãos dos filósofos, convertem-se em soberanas e quando não querem ser apenas meios entre outros e se convertem em fins últimos.

Entre os homens, como em toda espécie animal, há um excesso de aleijados, de enfermos, de degenerados, de débeis, de sofredores; os sãos constituem uma exceção e até neste sentido se poderia dizer que o homem *é um animal ainda não adaptado* ao seu ambiente, uma exceção rara.

Mas há ainda uma coisa pior: quanto mais elevado é o tipo de homem, tanto menos provável que *tenha êxito*: o acaso, a lei do irracional, manifesta-se de forma mais terrível na economia total da humanidade e mostra seu efeito destruidor que exerce sobre os homens superiores, nos quais as condições de vida são delicadas, múltiplas e dificilmente calculáveis.

Que papel assumem as duas maiores religiões citadas ante tal excedente de casos negativos? Tendem a conservá-los e mantê-los em vida, o que é preciso manter, e tomam por princípio o partido da religião *dos que sofrem*; dão razão a todos aqueles para quem a vida é uma enfermidade e quereriam tornar falsos ou impossíveis a todos os outros modos de vida.

Muito valeu este cuidado de poupar e conservar, enquanto se estendeu ao tipo mais elevado e até agora o mais sofredor da humanidade.

No cômputo geral, pertence às religiões soberanas, que temos até agora, o motivo principal de manter o tipo "homem" num nível baixo, conservando muito do *que estava destinado a perecer*. Devem-se às mesmas benefícios inestimáveis; porque quem terá em si tesouros bastantes de gratidão para não se tornar pobre ante o que têm feito pela Europa os "homens espirituais" do cristianismo. E, contudo, consolavam os desgraçados, infundiam coragem aos desesperados e oprimidos, davam o braço aos que não podiam caminhar sozinhos, atraíam para longe do mundo, para os conventos, para as casas de correção da alma, os internamente perturbados e os furiosos; que mais podiam fazer para conservar tudo quanto é doentio e sofredor, isto é, na verdade, para contribuir para a degradação *da raça europeia?*

Deviam necessariamente *inverter* todos os valores! Quebrar os fortes; amortecer as grandes esperanças; tornar suspeitosa a felicidade na beleza; converter tudo quanto há de independente, de viril, de conquistador e de dominador no homem, todos os instintos do tipo humano mais elevado e melhor fundido, em incerteza, em vileza, em destruição de si mesmo; transformar o amor às coisas terrestres e à dominação das mesmas em ódio contra a terra e contra todo o terrenal; eis aqui a tarefa que empreendeu a Igreja, e que devia levar a cabo, até fundir, num sentido só, o desejo de subtrair-se ao mundo e aos sentidos com a ideia de "homem superior".

Se fosse possível olhar com o ar irônico e sereno de um deus epicúrio a comédia dolorosa, grosseira e requintada do cristianismo europeu, creio que nunca chegaria ao fim de tanto se maravilhar, de tanto rir; não parece que por espaço de dezoito séculos dominou na Europa uma vontade única de fazer do homem um aborto sublime? Mas quem, dotado de necessidades opostas, não mais epicúrio, e armado do divino martelo, se aproximasse deste produto degenerado e entristecido que é o cristão europeu (Pascal, por exemplo), não exclamaria indignado, compadecido e espantado: "Oh néscios, néscios que sois piedosos! Que fizestes? Não era este trabalho para as vossas mãos! Como tendes afeado e destruído a escultura mais formosa! A que vos atrevestes!" Eu quis dizer: o cristianismo é até o dia de hoje a espécie mais funesta da exaltação de si mesmo. Homens demasiado incultos e rudes para cinzelar a estátua humana, homens débeis e hipermetrópicos, carentes da necessária abnegação para estabelecer a lei fundamental de que devem perecer os degenerados e abortivos; homens demasiado plebeus para ver o insondável abismo da escala entre homem e homem: tais homens com sua "igualdade perante Deus" dirigiram até hoje os destinos da Europa e lograram formar uma espécie anã, uma variedade ridícula, um animal de rebanho, bonachão, enfermo, medíocre, o moderno europeu...

QUARTA PARTE
Aforismos e intermédios

63

Quem nasceu para mestre só considera as coisas seriamente quando elas se referem aos seus discípulos: e até a si mesmo.

64

"O conhecimento pelo conhecimento" é o último truque usado pela moral e, nele, ela nos envolve completamente.

65

O encanto do conhecimento seria muito pequeno se, em seu caminho, não tivesse de vencer tanto pudor.

65a

Somos desonestos para com Deus, pois não o permitimos pecar.

66

A tendência para rebaixar-se, para deixar-se roubar, enganar e explorar poderia ser o pudor de um Deus entre os homens.

67

O amor a um único ser é uma barbárie, porque se exerce com detrimento de todos os outros. Tal é o amor de Deus.

68

"Fiz isto", confessa minha memória. "Não é possível que eu tenha feito isto", diz meu inexorável orgulho. Finalmente, a memória cede.

69

Olha-se mal a vida se não se vê a mão que piedosamente mata.

70

Quando se tem caráter, há na vida um acontecimento típico que sempre se renova.

71

O *sábio como astrônomo* – Enquanto sentires que os astros estão "acima" de ti, falta-te ainda o olhar do que conhece.

72

Os homens superiores não se fazem pela força de seus sentimentos, mas pela duração dos mesmos.

73

O que alcança um ideal, o ultrapassa.

73a

Há pavões reais que aos olhos de todos escondem a sua cauda e a isso chamam seu orgulho.

74

Um homem de gênio é insuportável se lhe faltam duas coisas: gratidão e pureza.

75

O grau e a espécie de sexualidade de um indivíduo se estendem até os últimos recantos de seu espírito.

76

Em tempo de paz, o homem belicoso luta consigo mesmo.

77

Os princípios servem para tiranizar os próprios costumes, para justificá-los, honrá-los, vituperá-los ou escondê-los: dois homens de princípios iguais sempre querem coisas fundamentalmente diversas.

78

Quem deprecia a si mesmo, a si mesmo se aprecia como traidor.

79

Uma alma que sabe que é amada e que não sabe corresponder ao amor manifesta sua origem: o que nela estava sepultado abaixo da superfície.

80

Uma coisa que se explica cessa de nos interessar. Que propunha aquele Deus que sugeriu esta frase "conhece a ti mesmo?" Porventura queria dizer: "cessa de olhar a ti mesmo, sê objetivo?" E Sócrates? E o "homem científico"?

81

Horrível é morrer de sede no mar. Por que, pois, pondes tanto sal em vossas verdades? Assim as tornais incapazes de saciar a sede!

82

"Compaixão de todos" seria dureza e tirania contra ti mesmo, meu compadre.

83

O instinto – Quando a casa arde, esquece-se até o almoço. Sim; mas logo se aproveitam as cinzas.

84

A mulher aprende odiar na medida que desaprende de fascinar.

85

Os mesmos afetos no homem e na mulher diferem no tempo: por isso não deixa de haver discordância entre homem e mulher.

86

As mulheres ocultam em sua vaidade pessoal um fundo de despeito impessoal para com a mulher.

87

Coração encadeado, espírito livre – Quando se encadeia duramente o coração, pode-se dar muita liberdade ao espírito: já o disse eu uma vez, e não me quiseram crer, apesar de todos o saberem.

88

Desconfia-se das pessoas prudentes quando elas se mostram embaraçadas.

89

As aventuras terríveis são um enigma se aquele que as viveu não tem algo de terrível.

90

As pessoas graves e melancólicas tornam-se justamente na superfície leves e amáveis, por ódio e amor, onde os outros se tornam pesados.

91

Há coisas tão frias, tão geladas que queimam os dedos, e a mão se afasta quando as toca e por isso muitos se julgam ardentes.

92

Quem não sacrificou a si mesmo alguma vez no altar de seu bom-nome?

93

Na afabilidade para com todos não há misantropia, mas, justamente por isso, desprezo demais.

94

Maturidade do homem – Consiste em recuperar a seriedade que punha em seus brinquedos quando criança.

95

O envergonhar-se de sua imoralidade é um degrau na escala cujo todo é envergonhar-se de sua moralidade.

96

Convém despedir-se da vida como Ulisses de Nausica, mais bendizendo que enamorado.

97

Como!... Um grande homem? Mas se vejo apenas um comediante do seu próprio ideal!

98

Quando se tem amestrada a consciência, esta nos beija ao mesmo tempo que nos morde.

99

Fala um desiludido. Esperava ouvir o eco, e não ouço mais que elogios.

100

Até ante nós mesmos fingimos sempre ser mais simples do que somos; deste modo descansamos do nosso próximo.

101

Hoje algum filósofo queria ser um deus animalizado.

102

Descobrir amor recíproco naquele a quem ama deveria desenganar o amante acerca do objeto amado. "Como! É bastante modesto até amar-te. Ou é bastante tolo? Ou...ou..."

103

O perigo na felicidade. "Agora tudo corre bem. Agora amo qualquer destino. Quem quer ser o meu destino?"

104

Não o seu amor ao próximo, mas a importância desse amor é o que impede aos cristãos de hoje de nos queimarem.

105

Ao espírito livre, ao "ser piedoso que conhece", repugna a *pia fraus* mais ainda que a *ímpia fraus.* Daí sua profunda incompreensão para com a Igreja, pois faz parte do tipo espírito livre – com sua falta de liberdade.

106

Graças à música, as paixões encontram gozo em si mesmas.

107

Tapar os ouvidos aos argumentos contrários é indício de caráter forte, mas às vezes é um desejo ocasional de imbecilidade.

108

Não existem fenômenos morais, mas uma interpretação moral dos fenômenos.

109

Muitas vezes o delinquente não está à altura de seu delito; apequena-o e o calunia.

110

Os advogados dos delinquentes são raras vezes suficientemente artistas para explorar o belo horrível do delito em favor do réu.

111

Nossa vaidade é mais difícil de ofender quando não foi ofendido o nosso orgulho.

112

O predestinado mais a contemplar que a crer julga barulhentos e importunos os crentes e foge de seu contato.

113

Queres fascinar alguém? Finge, ante ele, estares desconcertado.

114

A imensa ilusão a respeito do amor sexual e a vergonha que nele se oculta destroem todas as perspectivas da mulher.

115

Onde não há amor nem ódio, a arte da mulher é medíocre.

116

As grandes épocas de nossa vida estão onde obtemos a coragem de transformar nosso mau instinto em nossa parte melhor.

117

A vontade de dominar um afeto é apenas a vontade de outro ou de outros afetos.

118

Existe uma admiração ingênua: a daquele que nunca lhe passou pela mente que alguma vez pudesse ser admirado.

119

O asco à sujeira pode ser tão grande que nos impeça de nos limparmos, isto é, de nos justificarmos.

120

A sensualidade muitas vezes apressa tanto o crescimento do amor, que sua raiz se torna débil e fácil de arrancar.

121

É sutil ter Deus aprendido o grego quando quis se fazer escritor, e não o ter aprendido melhor.

122

Comprazer-se com um elogio é, em alguns, cortesia de coração, precisamente o contrário da vaidade de espírito.

123

Também o concubinato foi corrompido pelo matrimônio.

124

Quem triunfa na fogueira, não triunfa sobre o sofrimento, é que sente a felicidade de não experimentar a dor que esperava. Um símbolo.

125

Quando temos de mudar de opinião a respeito de um indivíduo, fazemo-lo pagar caro a pena que nos causou.

126

Um povo é um rodeio que dá a natureza para chegar a seis ou sete grandes homens e para livrar-se deles.

127

A todas as verdadeiras mulheres, a ciência contraria o pudor. Parece-lhes como se lhes quisesse olhar sob a pele; pior ainda, sob o vestido.

128

Quanto mais abstrata é a verdade que queres ensinar, tanto mais deves enganar os sentidos.

129

O diabo é quem tem as perspectivas mais largas sobre Deus, por isso se distancia tanto dele; o diabo é o amigo mais antigo do conhecimento.

130

O que alguém é começa a revelar-se quando seu talento declina, quando cessa de mostrar o que pode. O talento é um adorno, e um adorno serve também para encobrir.

131

Cada sexo se engana acerca do outro, e isto se dá porque, no fundo, ele ama e respeita a si mesmo (ou seja, para expressar isso de um modo agradável, o seu próprio ideal). Assim, o homem quer que a mulher seja plácida; mas, precisamente, a mulher é contrária à placidez; sempre se assemelha ao gato, por muito que finja.

132

Nossos castigos vêm de nossas virtudes.

133

O que não sabe encontrar o caminho de seu ideal, vive uma vida mais leviana e frívola do que o que não tem ideal.

134

Somente dos sentidos nos vem a dignidade da fé, a boa consciência, a aparência da verdade.

135

O farisaísmo no homem bom não é uma degeneração; precisamente é uma condição para ser bom.

136

Um procura um parteiro para suas ideias e outro a quem possa ajudar: deste modo se forma um bom entendimento.

137

Nas nossas relações com os doutos e com os artistas costumamos enganar-nos; num douto esquisito achamos muitas vezes um homem medíocre e num artista medíocre achamos muitas vezes um homem esquisito.

138

Tanto despertos como sonhando, imaginamos somente o homem com quem temos relações – e imediatamente o esquecemos.

139

Na vingança e no amor, a mulher é mais brutal que o homem.

140

Conselho em forma de enigma. Para que o laço não se rompa é mister experimentá-lo antes com os dentes.

141

O baixo-ventre é a causa pela qual o homem não se considera facilmente como um Deus.

142

A frase mais pudica que ouvi é esta: *"Dans le veritable amour c'est l'âme que enveloppe le corps".*

143

O que sabemos fazer melhor, nosso orgulho queria que fosse considerado muito difícil. Nota para a origem de certos sistemas de moral.

144

Quando a mulher tem inclinações sábias é indício que tem algum defeito na sexualidade. A esterilidade predispõe a esta virilidade do gosto; o varão é, diga-se com licença, o animal estéril.

145

Comparando em geral o homem com a mulher, pode afirmar-se que a mulher não teria o talento do adorno se o seu instinto não a fizesse compreender que representa um segundo papel.

146

Quem luta com monstros deve ter cuidado para não se tornar um monstro. E se olhas demoradamente um abismo, o abismo olha para dentro de ti.

147

Tirado de antigos contos florentinos e também da vida: *buona femina e mala femina vuol bastone.* Sacchetti, nov. 86.

148

Induzir o nosso próximo a que tenha boa opinião de nós, e depois acreditar sinceramente nesta opinião, quem põe nisto mais arte que as mulheres?

149

O que numa época parece mau, é quase sempre um resíduo do que parecia bom na época anterior; é o atavismo de um ideal já velho.

150

À volta do herói tudo é tragédia; à volta do semideus tudo é jogo de sátiros; e à volta de Deus tudo é, que coisa, talvez o mundo?

151

Não basta ter talento, é necessário também a permissão para tê-lo: Que vos parece, meus amigos?

152

"Onde se ergue a árvore da ciência está sempre o paraíso." Isto dizem as serpentes da Antiguidade e também as modernas.

153

O que se faz por amor se faz sempre além do bem e do mal.

154

A objeção, a oposição caprichosa, a desconfiança alegre e a propensão à ironia são indícios de saúde; todo o incondicionado pertence à patologia.

155

O sentido do trágico cresce e decresce com a sensualidade.

156

A loucura é muito rara nos indivíduos, é regra, porém, nos grupos, nos partidos, nas épocas, nos tempos.

157

A ideia do suicídio é um grande consolo: ajuda a suportar muitas noites más.

158

Ao mais forte dos nossos instintos, ao tirano interior, sujeitam-se, não só a nossa razão, mas também a nossa consciência.

159

Convém devolver o bem pelo bem e o mal pelo mal, mas por que precisamente à mesma pessoa que nos fez o bem ou o mal?

160

Não se ama bastante o próprio conhecimento quando se comunica aos outros.

161

Os poetas são impudentes com suas aventuras, eles as exploram.

162

"Nosso próximo não é o nosso vizinho, mas o vizinho do nosso vizinho." Assim pensam todos os povos.

163

O amor põe à luz meridiana as qualidades mais elevadas e secretas de quem ama, o que nele há de raro e de excepcional. Com isto engana facilmente acerca do que nele é a regra.

164

Jesus disse aos judeus: "A lei era para os escravos; amai a Deus como eu o amo, como seu filho". Que nos importa a moral, a nós que somos filhos de Deus!

165

A todos os partidos. O pastor necessita sempre de um carneiro-chefe para guiar o rebanho, ou então será às vezes guiado.

166

Com a boca se mente, é verdade; mas com os gestos, que se fazem na ocasião, descobre-se a verdade.

167

Nos homens severos a ternura é uma questão de vergonha e algo de valioso.

168

O cristianismo deu veneno a Eros; mas este não morreu, degenerou e tornou-se vício.

169

Falar muito de si mesmo pode ser um meio de se esconder.

170

No elogio há mais indiscrição que na censura.

171

Num homem de ciência, a compaixão nos faz rir como um ciclope com mãos femininas.

172

Alguma vez, por amor da humanidade, se abraça o primeiro que se encontra (porque não se pode abraçar a humanidade inteira); mas precisamente esta necessidade não convém dizer àquele que se abraçou...

173

Não se odeia enquanto se despreza; odeia-se quando se estima igual ou superior.

174

Vós, ó utilitários! Não amais o útil senão como veículo de vossas inclinações; e não achais também desagradável o rumor do roçar de suas rodas?

175

Em vez do objeto desejado, ama-se por último a sua cupidez e não o que se desejava obter.

176

A vaidade dos outros nos causa aborrecimento somente quando se opõe à nossa.

177

Acerca da "vaidade" talvez ninguém tenha sido bastante verdadeiro.

178

Não se crê nas loucuras dos homens sensatos. Eis perdido um direito do homem!

179

As consequências de nossas ações nos agarram pelos cabelos, apesar de que nos tornemos melhores.

180

Na mentira há certa ingenuidade que é indício de boa-fé.

181

É inumano abençoar a quem nos maldiz.

182

A familiaridade do superior irrita, porque não temos licença de devolvê-la.

183

"Não o fato de me teres mentido, mas o não poder crer mais em ti, foi o que me abalou profundamente."

184

Há às vezes na bondade certa arrogância que parece malícia.

185

"Não gosto" – Por quê? – "Porque não me sinto à sua altura". E que homem respondeu assim alguma vez?

QUINTA PARTE
Para a história natural da moral

186

O sentimento moral é hoje na Europa tão fino, tardio, múltiplo, irritável e requintado quanto a "ciência moral", a que ele pertence, é jovem, noviça e grosseira, pouco sutil. Um contraste atraente que às vezes é visível e manifesto na própria pessoa do moralista.

Já o título de "ciência da moral" é, com relação ao próprio significado, excessivamente presunçoso e contrário ao *bom* gosto; o qual costuma ser um gosto antecipado das expressões mais modestas.

Devia ter-se o valor de confessar *o que* ainda é necessário fazer por muito tempo, o que por ora tem o privilégio do direito: isto é, recolher materiais, reunir conceitos, coordenar todo um mundo de sentimentos delicados, de diferenciações de valor, as quais vivem, crescem, engendram e morrem, e talvez tornar intelegíveis as formas sucessivas e mais frequentes desta cristalização viva, como preparação de uma teoria dos tipos da moral. É verdade que até agora não existiu tal modéstia.

Os filósofos, sem exceção, exigiam sempre de si mesmos, com uma gravidade ridícula, algo mais elevado, mais solene, logo que se ocupam com a moral da ciência; queriam *estabelecer seus fundamentos*, e todos acreditavam tê-lo logrado, mas a moral em si mesma era julgada como coisa *"dada"*. Quão longe estava "de seu néscio orgulho o encargo de uma descrição que parecia insignificante, tornada pó e esquecimento, embora requeresse para ele apenas mãos delicadas e sentidos sutis. Precisamente pelo fato de que os filósofos da moral tenham conhecido os *facta* morais, apenas grosseiramente, num resumo voluntário de casuístico; por exemplo, casos morais de seu ambiente, de sua classe, de sua igreja, do espírito do seu tempo, de seu clima, de seu país, de sua época. E justamente porque estavam mal-informados e não procuravam informar-se acerca das nações, das épocas e da história dos tempos passados, e não tiveram ocasião de encontrar-se cara a cara com os verdadeiros problemas da moral, os quais emergem unicamente da comparação de *muitas* morais. Em toda a "ciência da moral" *faltava* até agora, por estranho que pareça, o próprio problema da moral, e nem sequer se suspeitava da existência de algo problemático.

O que os filósofos chamavam "fundamento da moral" e o que de si exigiam era, se observado com exatidão, apenas uma forma douta de sua *fé* na moral de sua respectiva época, uma nova maneira de *expressar* esta fé, e consequentemente um fato existente até dentro de uma moral determinada, mas, em última instância, uma espécie de negação de que tal moral pudesse conceber-se como problema; em todo o caso, era o oposto do exame, de uma análise, de uma dúvida, de uma vivessecção justamente dessa fé.

Considere-se, por exemplo, com que ingenuidade, digna até de respeito, o próprio Schopenhauer nos apresenta sua tarefa e nos oferece demonstrações numa ciência na qual os mais recentes mestres balbuciam ainda como crianças e velhas: O princípio, diz ele, em que estão de acordo todos os moralistas é *Neminem laede, immo omnes, quantum potes, juva*. Esta é a *genuína* tese que todos os moralistas intentam demonstrar... o *genuíno* fundamento da ética, que, como a pedra filosofal, é procurada há milênios.

A dificuldade de fundamentar esta tese é grande – e sabe-se que Schopenhauer não teve êxito nessa empresa. Quem sentiu profundamente falsa, absurda ou sentimental semelhante tese num mundo cuja essência é a vontade de potência, será melhor que se lembre que Schopenhauer, embora pessimista, era *no fundo* flautista... Todos os dias, depois da refeição, tocava flauta. Leiam-se os seus biógrafos. E pergunto agora: Uma pessimista, e que renega a Deus e o mundo, e que logo se detém para a moral, *laede neminem*... é pessimista?

187

Pondo de lado até o valor de certas afirmações, como, por exemplo, de "se existe em nós um imperativo categórico", ainda podemos perguntar: O que nos ensina tal afirmação acerca da pessoa que afirma?

Há morais que têm por fim justificar o seu autor ante a opinião dos outros: outras tranqulizá-lo e deixá-lo satisfeito consigo mesmo, noutras o autor quer crucificar-se, humilhar-se; outras servem para a vingança; outras para a solidão; outras para o autor glorificar-se, elevar-se longinquamente às alturas.

Às vezes a moral serve ao seu autor para esquecer, ou para fazer esquecer a si totalmente ou em parte. Alguns moralistas querem desafogar na humanidade suas ambições, suas megalomanias e vontade criadora.

Outros, finalmente, talvez até Kant, dão a entender com sua moral: "O que há em mim de respeitável é que sei obedecer e vós deveis fazer o mesmo".

Numa palavra, a moral não é outra coisa que a *linguagem figurada dos afetos*.

188

Cada moral é, em oposição ao *laissez-aller,* uma espécie de tirania contra a "Natureza" e também contra a "razão"; mas isto não pode servir ainda de objeção contra ela, devia decretar-se já outra moral que julgasse ilícita toda espécie de tirania e de ilogismo.

O caráter essencial e valioso de toda moral é exercer uma longa coação; para compreender o estoicismo de Port-Royal e o puritanismo, basta recordar a coação que tornou fortes e livres as línguas, a coação do metro, a tirania da rima e do ritmo. Quanto suaram os poetas e oradores de todos os povos – até certos escritores de prosa de nossos dias cujo ouvido delicado lhes dá uma consciência inexorável – e tudo "por uma necessidade", como dizem alguns imbecis utilitários que querem parecer pessoas sensatas, "por sujeição às leis arbitrárias", como dizem os anarquistas, que querem com isso se julgar livres e até com espírito livre.

Mas o curioso é que tudo quanto existe e já existiu na terra, de liberdade, de finura, de ousadia, de dançar, e de maestria no pensar, no governar, no perorar ou no persuadir e nas artes, assim como também nos costumes só se desenvolveu pela força da "tirania" e das "leis arbitrárias" e, falando sério, é muito provável que nisto consista a "Natureza" e o "natural", e não naquele *laissez-aller!* Cada artista sabe quão distante do sentido desse "laissez-aller" é o seu estado natural, a livre organização, o sentir, o dispor nos momentos de inspiração, quão severamente obedece a mil várias leis que por seu rigor e determinação se riem de todo formalismo de conceitos (até os conceitos mais determinados se tornam então confusos, interpretáveis em mil sentidos).

O essencial, "assim na terra como no céu", é, aparentemente, *obedecer* por muito tempo numa mesma direção, isto decorre, por fim, de algo que nos torna suportável a vida na terra, por exemplo a virtude, a arte, a música, a dança, a razão, a espiritualidade, algo transfigurado, refinado, louco e divino. A longa escravidão do espírito; e a coação da desconfiança na comunicação dos pensamentos segundo os cânones da Igreja ou das Cortes, ou das premissas aristotélicas; a constante vontade espiritual de interpretar todos os fatos segundo o esquema cristão e de descobrir e justificar a mão de Deus em todo acontecimento casual; tudo o que há nisto de violento, de arbitrário, de duro, de horrível, de irracional, foi o meio para que o espírito europeu acordasse de sua força, sua curiosidade ousada, sua fina agilidade, embora fosse oprimida e degenerada uma quantidade irreparável de força e de espírito, pois aqui, como em toda parte, a Natureza mostra-se sempre como é, em toda a sua extravagante e *indiferente* magnificência, sempre rebelde e aristocrática.

Se por milênios trabalharam os pensadores europeus para demonstrar algo hoje, ao contrário, seria suspeito aquele que quisesse demonstrar o que já lhe é algo fixo, o que *devia* figurar como se fosse resultado de suas profundas meditações, como talvez outrora acontecia na astrologia arcaica, e como ainda hoje costuma dar-se uma interpretação cristã-moral, "pela glória de Deus e pela salvação das almas", às ações mais pessoais; aquela tirania, aquela sujeição, aquela ignorância severa e grandiosa educaram o espírito, e a escravidão é, como parece na compreensão mais grosseira e mais sutil, o meio necessário para a gestação espiritual e sua criação. Deve considerar-se toda a moral sob esse prisma: a moral e a Natureza tornam odioso o *laissez-aller*, o excesso de liberdade, e criam a necessidade de estreitos horizontes, de empresas mais próximas que restringem a perspectiva e portanto, de certo modo, demonstram que a ignorância é condição indispensável da vida e de seu desenvolvimento:

"Deves obedecer a quem quer que seja, e por muito tempo; do contrário perecerás e perderás toda a estima de ti mesmo." Este me parece ser o imperativo moral da Natureza, o que não é nem categórico, como pretendia dele o velho Kant (por isso aquele *do contrário*), nem dirigido a cada indivíduo (à Natureza, que lhe importam os indivíduos?), mas aos povos, às raças, às classes, e sobretudo ao animal que se chama "homem", entre os homens.

189

As classes trabalhadoras sofrem muito quando permanecem ociosas; foi um golpe de mestre do instinto inglês o tornar tão consagrado o repouso e tão aborrecido o domingo, que todos os ingleses, sem o perceberem, desejam a volta dos dias de semana e de trabalho; é uma espécie de jejum sabiamente inventado e interpolado, e semelhante exemplo não faltam no mundo antigo (entre os povos meridionais há abstinências não propriamente de trabalho). Deve haver abstinências de muitas espécies onde quer que predominem os fortes estímulos e costumes, devem cuidar os legisladores de intercalar certos dias nos quais ditos impulsos estejam como encadeados e aprendam a sentir novamente a fome.

De um ponto de vista elevado, quando

gerações e épocas inteiras se nos apresentam

infeccionadas de algum fanatismo moral, semeiam quaresmas forçadas e intercaladas, nas quais um impulso aprende a humilhar-se e sujeitar-se, e ao mesmo tempo a purificar-se e requintar-se.

Deste modo podem interpretar-se também algumas seitas filosóficas (por exemplo, a estoica em meio da cultura helênica e de uma atmosfera impregnada de aromas afrodisíacos e lascivos).

Assim também pode explicar-se o paradoxo de que precisamente no período mais cristão da Europa, principalmente sob a pressão dos critérios cristãos, o impulso sexual se sublimou até o amor *(l'amour passion).*

190

Há algo na moral de Platão que não pertence propriamente a Platão, mas está ali apesar dele: quero dizer o "socratismo" para o qual Platão era demasiado aristocrata. "Ninguém intenta fazer dano a si mesmo; por isso, todo o mal acontece involuntariamente. O que procede mal, prejudica a si mesmo; não o faria se soubesse que o mal é mal. Por conseguinte, o mau é mau por erro; tire-se-lhe este erro, e necessariamente se tornará bom". Tal modo de arguir fede à plebe, a qual não vê senão as mesquinhas consequências do fato, e julga propriamente que é tolo "proceder mal", quando identifica singelamente o bem como o "útil" e como o "agradável".

Todo utilitarismo da moral mostra a mesma origem, e seguindo o seu faro raramente se errará. Platão fez quanto pôde para adornar com uma interpretação delicada e aristocrática a tese de seu mestre principalmente para consigo mesmo – ele o mais ousado de todos os intérpretes recolheu

Sócrates da via pública, como se recolhe a um animal curioso para descrevê-lo, ou uma canção popular para glosá-la; quer dizer, pôs nele todas as suas máscaras e sua própria multiplicidade. Dito em brincadeira e homericamente: Que seria do Sócrates de Platão senão:

Platão por diante, Platão por detrás, e no meio uma quimera.

191

O antigo problema teológico da "fé" e da "ciência", ou mais explicado, do instinto e da razão, portanto a pergunta se em relação ao valor das coisas merece mais autoridade o instinto do que a razão, a qual exige que se lhe estime e se proceda segundo motivos, segundo porquês, segundo a oportunidade e a utilidade, é hoje o mesmo problema moral que pela primeira vez se personificou em Sócrates e que muito antes do cristianismo dividia as opiniões. Sócrates, cedendo a seu próprio talento (que era o de um dialético superior), tinha-se posto ao lado da razão, porque, realmente, que fez ele durante toda a sua vida senão mofar-se da incapacidade canhestra dos aristocratas atenienses, que eram homens distintos, como todos os aristocratas, e não se achavam em condições de explicar os motivos de suas ações.

Mas em seu interior também se ria de si mesmo: achou em si, ante uma consciência mais sutil e autoacusativa a mesma dificuldade e incapacidade. "Que necessidade há – dizia ele – de, por causa disso, soltar os instintos? Eles têm seus direitos, como a razão os seus; é necessário obedecer-lhes e persuadir a razão de que os apoie com bons motivos".

Nisto consistia a verdadeira duplicidade daquele grande irônico misterioso; costumou a consciência a uma espécie de erro voluntário; no fundo, havia visto quão irracional é o juízo moral.

Platão, nessas coisas, mais ingênuo e sem a astúcia do plebeu, quis demonstrar, com um esforço hercúleo a maior força que até agora empregou um filósofo que a razão e o instinto têm o mesmo fim, o bem, "Deus".

Todos os teólogos e filósofos depois de Platão seguiram o mesmo caminho; de maneira que nas coisas da moral ficou vitorioso o instinto, ou, como dizem os cristãos, a "fé", ou, como digo eu, "o rebanho".

Excetua-se Descartes, pai do racionalismo (e, por conseguinte, avô da Revolução), o qual não reconheceu outra autoridade que a da razão; mas a razão não é mais que um instrumento e Descartes era superficial.

192

Quem tenha seguido com atenção a história de uma única ciência, encontrará em seu desenvolvimento o fio condutor para compreender os procedimentos mais antigos e mais vulgares de toda "ciência e conhecimento".

Primeiramente se aventuram hipóteses, ficções, porque a vontade está ansiosa de "crer" e lhe falta desconfiança e paciência. Nossos sentidos muito tarde ou talvez nunca aprendem a ser órgãos finos, fiéis e circunspectos para conhecer. É mais cômodo aos nossos olhos reproduzir uma imagem mil vezes sentida que reter uma nova e invulgar impressão: isto exige mais força, mais "moralidade".

Ouvir algo pela primeira vez é penoso e difícil ao ouvido; raramente percebemos bem a música nova. Involuntariamente, quando ouvimos falar numa linguagem para nós nova, tratamos de revestir os sons com palavras já conhecidas e mais íntimas; assim, ao ouvir a palavra *arcubalista,* formou o alemão a palavra *armbrust.*

Nossos sentidos são inimigos das novidades, e em geral reinam já, na mais simples ação da sensualidade, os afetos; como o medo, o amor, o ódio e os afetos passivos da inércia.

Quem hoje em dia vê todas as palavras (e até todas as sílabas) de uma página impressa? De vinte palavras não lê mais que quatro ou cinco e adivinha sua relação com as outras da mesma forma que vemos exatamente uma árvore inteira sem necessidade de olhar para todas as suas folhas, ramos, cor e forma; é para nós mais fácil imaginar um pouco mais ou menos de árvore.

E em todas as coisas procedemos assim. Inventamos a maior parte de um acontecimento e mal podemos ser obrigados a não olhar como espectadores de algum acontecimento. Isto significa que, desde os tempos mais remotos, estamos acostumados a mentir. Ou que, seja dito com frase jesuítica e mansa, somos mais artistas do que se julga. Às vezes, num colóquio vivaz, vejo a fisionomia da pessoa com quem falo, conforme o pensamento que ela externa ou que creio ter-lhe sugerido, tão exato e determinado que esta expressão ultrapassa minha *força* visual; a sutileza do jogo muscular e da expressão dos olhos deve ser, pois, inventada por mim.

Provavelmente essa pessoa tinha uma expressão diferente ou talvez nenhuma.

193

Quidquid luce fuit, tenebris agit; mas também vice-versa.

O que experimentamos em sonho, supondo que o seja frequentemente, pertence finalmente à economia de nossa alma, como algo que de fato vivemos: nossos sonhos nos enriquecem ou nos empobrecem; eles têm uma necessidade a mais ou menos, e tornam-se finalmente, na clara luz do dia e até no momento mais sereno de vigília, algo como conduzido pelos costumes dos nossos sonhos. Supondo que alguém sonhe muitas vezes que voa, e que ao sonhar use de sua força e de sua habilidade para voar, como de uma prerrogativa própria, como de uma fortuna especial e invejável: e acredita poder descrever com um levíssimo impulso toda espécie de círculos e de ângulos, e conheça a sensação de uma leveza quase divina, a sensação de *elevar-se*, sem tensão de músculo, sem esforço e de descer sem perda da dignidade e sem humilhação, isto é, sem a gravidade, como é possível que quem fez tais experiências em sonhos e experimentou tais sensações não atribua, quando desperto, uma cor e um sentido muito diverso à palavra "felicidade"? Como não há de desejar uma felicidade muito diferente? Até a "elevação", de que falam os poetas em comparação a seu "voo", deve parecer-lhe agora demasiado terrestre, demasiado muscular, violento, "pesado".

194

A diversidade dos homens não se demonstra só através da diversidade de suas categorias de bens desejáveis e no desacordo acerca de seu valor e de sua classificação, mas também e principalmente no valor que atribuem à propriedade e posse de um bem determinável: e mostra-se ainda mais naquilo que lhes parece um verdadeiro Ter e Possuir. Quanto ao que concerne à mulher, um indivíduo modesto se contenta com dispor do corpo, e lhe parece uma posse bastante o gozo sexual. Outro, cuja sede de possuir é mais exigente e mais desconfiada, reconhece quanto há de duvidoso na posse e exige outras provas; sobretudo quer saber não só se a mulher se entrega a ele, mas também se abandona por ele tudo quanto tem ou que quisera ter: só assim tem ela valor como possuída. Um terceiro, porém, nem aí está no fim de sua desconfiança e de seu querer ter, ele pergunta a si se a mulher deixando tudo por ele não procede desse modo para exibir-se: ele faz questão de ser conhecido profundamente para poder ser amado de qualquer forma. Ele ousa apresentar-se enigmático – somente então ele sente a amada completamente em seu poder quando ela não se engana mais a seu respeito, quando ela o quer bem tanto pelas suas diabruras e insaciabilidade secreta quanto pela sua bondade, paciência e espiritualidade.

Há quem deseja possuir um povo, e para este fim recorre às artes de Cagliostro ou de Catalina. Mas outro, cuja ambição é mais requintada, diz a si mesmo: "Não é lícito enganar quando se quer possuir" – e lhe desagrada o pensar que não ele, mas uma máscara dele é que reina no coração do povo; – "é, pois, necessário que eu me faça conhecer e antes de tudo devo conhecer a mim mesmo!"

Nos homens caritativos e benéficos acha-se sempre a astúcia tola em geral de adaptar aos seus desejos o indivíduo a quem socorre; perguntam, por exemplo, "se ele merece ser socorrido, se se mostrará agradecido, afetivo, submisso". Assim dispõem do necessitado como se fosse coisa sua; somente pela exigência de uma propriedade se tornam homens benéficos e caritativos.

Encontram-se os invejosos quando nessas ocasiões se cruzam em seu caminho ou lhes vêm tomar a dianteira. Os pais, sem o querer, formam os filhos de modo algo parecido – e chamam a isso "educação".

Não há mãe cujo coração não esteja persuadido de que deu à luz a uma propriedade sua e nenhum pai renunciará o direito de submetê-lo às suas ideias e à sua maneira de ver. Houve até um tempo em que os pais dispunham da vida e da morte de seus filhos (como sucedia entre os antigos germanos). E assim como o pai, veem também o mestre, a casta, o sacerdote, o princípe em cada homem que nasce uma propriedade nova. Por conseguinte...

195

Os judeus – povo "nascido para ser escravo", como afirma Tácito e com ele todo o mundo antigo, "o povo escolhido entre os povos", como eles mesmos dizem e acreditam – realizaram a maravilhosa obra de inverter valores, mercê da qual a vida adquiriu na terra um novo atrativo muito perigoso para dois milênios. Seus profetas confundiram num mesmo significado os termos "rico", "ímpio", "mau", "violento", "sensual", e à palavra mundo atribuíram pela primeira vez um sentido de opróbrio.

Em tal inversão de valores (mercê da qual "pobre" é sinônimo de "santo" ou de "amigo") fundamenta-se a importância do povo judeu; com *ele se inicia a insurreição de escravos na moral.*

196

Vizinhos do sol existem inumeráveis corpos obscuros *para serem descobertos* – tais corpos nós jamais os veremos. Eis aqui, para nós, um símbolo: para o psicólogo moralista toda a linguagem dos astros é uma linguagem alegórica e simbólica que permite calar muitas coisas.

197

Enganamo-nos completamente quanto aos animais de rapina e também quanto aos homens de rapina (por exemplo, César Bórgia); enganamo-nos acerca da Natureza enquanto queiramos ver no fundo destes animais e monstros tropicais e mais sadios um "inferno" que lhes é inato, uma espécie de "enfermidade" como quase o têm feito todos os moralistas.

Não parece que os moralistas não gostam das matas virgens e dos trópicos? Caluniam de qualquer forma os "homens tropicais", chamando-os de doentes degenerados da humanidade, ou como seu próprio inferno e autopunição? E por quê? Em favor das "zonas temperadas"? Em favor dos homens temperados, dos homens morais, dos medíocres?

Tal observação para o capítulo *A moral como consequência do medo.*

198

Todas essas morais que se dirigem às pessoas solitárias com o fim – dizem – de lhes dar a "felicidade", que são no fundo senão propósitos em relação ao grau de perigo no qual a própria pessoa vive consigo mesma?

Receitas contra as suas paixões, contra as suas inclinações boas ou más, quando estas querem dominar e fazer-senhoras; sagacidades pequenas e grandes e artifícios que fedem a remédio caseiro e a sabedoria de velhas, todos eles barrocos e irracionais na forma, porque se dirigem à "universalidade", porque generalizam onde não se deve – todos eles falando incondicionalmente, considerando-se incondicionados, todos eles condimentados, não só com grãos de sal, mas ao contrário suportáveis somente e até às vezes sedutores quando aprendem a cheirar excessos de condimento e perigo, principalmente segundo o "outro mundo": tudo isto, medido com o entendimento, vale bem pouca coisa, e não pode chamar-se "ciência" e menos ainda "sabedoria". Mas, dito isso três vezes, sagacidade, sagacidade e sagacidade, junto com a imbecilidade, imbecilidade, imbecilidade, ora se trate daquela indiferença ou frialdade marmórea que aconselharam e receitaram os estoicos contra a ardente loucura das paixões; ora se trate do "não rir nem chorar" de Spinoza que pregava a destruição ingênua das paixões mediante sua análise e vivessecção; ora se trate de reduzi-las a um termo médio inofensivo que permita satisfazê-las, como ensina o aristotelismo da moral; ora se trate de satisfazê-las, diluindo-as e fazendo-as espirituais, por meio do simbolismo da arte, por exemplo, da música, ou pelo amor de Deus e do homem, pela vontade de Deus (pois na religião têm as paixões direitos de cidadania, com tal que...); ora se trate, finalmente, de dar aquela dedicação devotada e voluntária à rédea solta, aquela física e psíquica *licentia morum,* no caso excepcional dos velhos sabichões e beberrões "nos quais o perigo é mínimo".

Eis aqui outra observação para o capítulo *A moral como consequência do medo.*

199

Em todos os tempos, enquanto houve gente (ligações sexuais, povoações, tribos, povos, Estados, igrejas), e sempre foram em número incomparavelmente maior os súditos que os governantes de maneira que a obediência foi sempre exercitada e criada entre os homens, e há razão para admitir que conosco nasça a necessidade da obediência como uma consciência formal que predomina: "deves fazer isto incondicionalmente", "deves omitir aquilo incondicionalmente", sempre "deves", "deves". Tal necessidade trata de saturar-se e de preencher com seu conteúdo uma forma. E para alcançar isto, absorve com todas as suas forças, cheia de impaciência e de tensão, sem discernimento, com fome canina, tudo o que lhe sugerem os que mandam: os pais, os mestres, as leis, os preconceitos de classe e de opinião pública, e que lhe é gritado ao ouvido. A estranha pequenez do desenvolvimento humano, a vacilação, a parada, que muitas vezes retrocedem e circulam à sua volta, tudo isto acha sua explicação no fato de se transmitir por herança o instinto de obediência melhor que todos os outros e a expensas da arte de mandar.

Imagine-se que este instinto herdado avance até suas últimas consequências, e se compreenderá que por fim faltarão homens dominadores e independentes, ou então eles internamente sofrem da má consciência e necessitam enganar-se a si mesmos para poder mandar: isto como se também eles fizessem parte dos obedientes. A este estado de coisas que existe de fato na Europa eu chamo de hipocrisia moral dos governantes. Não sabem descarregar o peso de sua má consciência senão passando por executores de ordens antigas ou vindas do alto (dos antepassados, da Constituição, do direito, das leis ou de Deus), ou então tomando emprestado máximas de rebanho do pensamento dos rebanhos, como por exemplo "o de primeiro servidor do povo", ou "instrumento do bem público". Por outro lado o homem de rebanho na Europa dá a si aparência de que ele fosse o único homem lícito e glorifica suas qualidades de ser doméstico, pacífico e útil ao rebanho, como se estas fossem as únicas virtudes verdadeiramente humanas; a sociabilidade, a benevolência, o respeito, a diligência, a sobriedade, a modéstia, a indulgência, a compaixão. E quando não se pode passar sem chefe fazem-se tentativas e tentativas para substituir os verdadeiros governantes por um grupo de homens prudentes do rebanho; tal é a origem de todas as formas de constituições representativas.

Que felicidade, que redenção de uma opressão que estava se tornando insuportável é para os rebanhos europeus a aparição de um indivíduo que manda em absoluto! Prova-o o imenso êxito de Napoleão, a última grande testemunha: a história da influência de Napoleão é quase a história da felicidade suprema à qual chegou neste nosso século seu homem valoroso em seus momentos mais culminantes.

200

O homem de uma época de dissolução, na qual se confundem as raças e que tem múltiplas origens, quer dizer, opostas e muitas vezes não só impulsos e julgamentos de valores contrários, os quais estão em contínua luta entre si e quase nunca se dão trégua – um tal homem de culturas tardias e de meia-luz torna-se um homem mais débil: seu mais profundo desejo almeja que a guerra, que é personificada por ele, cesse finalmente: a felicidade lhe aparece, de acordo com a medicina sedativa e o modo de pensar, por exemplo a medicina epicúria ou cristã consistirá no repouso, na imperturbabilidade, na fartura da unidade final, "sábado dos sábados" para falar como o consagrado retórico Santo Agostinho, um desses homens. Mas quando o contraste a guerra numa tal natureza procedem como um estímulo e aguilhão da vida, e por outra parte, como herdadas e como criadas junto aos seus impulsos potentes e inexoráveis e também a verdadeira maestria e requinte na arte de guerrear consigo mesmo, isto é autodomínio e sagaz autoengano: então surgem aqueles incompreensíveis e incríveis homens predestinados à vitória e à sedução, cuja expressão mais formosa foram Alcibíades e César (dos quais pelo meu gosto desejaria ajuntar aqueles descendente dos Hohenstaufen, Frederico II) e entre os artistas talvez Leonardo da Vinci. Estes aparecem exatamente naquelas épocas em que o tipo mais débil, com seu desejo de descanso, vem ao primeiro plano; ambos os tipos pertencem um ao outro e têm origem nas mesmas causas.

201

Quando a utilidade que reina na medida dos valores morais é somente a utilidade do rebanho, quando a visão é dirigida unicamente à manutenção da comunidade, enquanto o imoral é procurado exata e exclusivamente naquilo que parece ser nocivo à manutenção da comunidade: durante este tempo não pode existir moral do "amor ao próximo". Supondo que já exista lá certa quantidade de respeito, de compaixão, de equidade, de bondade, de ajuda recíproca, e supondo que neste estado da sociedade se achem em atividade todos os impulsos que mais tarde serão honrados como "virtudes", e que quase coincidem com o conceito "moralidade", naquela época não pertenciam ainda ao reino das apreciações morais, eram ainda extramorais. Assim, por exemplo, um ato de piedade nos melhores tempos de Roma não era chamado bom nem mau, moral nem imoral, e se acaso tido por louvável, ia esse louvor mesclado com certo desprezo involuntário, desde que se compare este ato com outro que favoreça a comunidade, a *res publica.* Em última análise, o "amor ao próximo" é sempre algo secundário e em parte convencional e aparentemente arbitrário, em proporção ao medo do próximo. Quando a contextura da sociedade no todo está firme e assegurada contra os perigos externos, este medo do próximo cria novas perspectivas das escalas de valores morais. Certos impulsos potentes e perigosos, como o espírito de empreendimento, a temeridade, a vingança, a astúcia, a rapacidade, a ambição, impulsos que antes eram úteis ao bem público, e que não eram somente honrados - sob outro nome que merece aquele que acabamos de escolher - porém que deviam ser favoráveis e alimentados (como necessários continuamente ao comum perigo) são agora sentidos duplamente perigosos - pois que já lhes faltam válvulas de escape - e pouco a pouco vão sendo marcados a fogo e entregues à calúnia. E então são tidos por morais os impulsos e inclinações contrárias; o instinto do rebanho tira a pouco e pouco as suas conclusões. Quanto fica de pouco de muito perigo comum para a igualdade de opinião, num estado e afeto, numa vontade, num talento, isto agora é a perspectiva moral: o medo também é aqui o pai da moral. Os impulsos mais elevados e mais fortes, quando eles irrompem apaixonadamente, realçam a pessoa além do nível médio e baixo da consciência do rebanho, aí perece o sentimento próprio da comunidade, a fé em si mesmo, e rompem, por assim dizer, a sua coluna vertebral; por isso são manchados de infâmia e calúnia tais impulsos. Toda espiritualidade elevada e independente, toda vontade autônoma, toda inteligência elevada, já são sentidas como perigo; o que realça o indivíduo acima do rebanho e infunde medo aos outros chamar-se-á doravante "mau", e os sentimentos de equidade, de modéstia, de ordem, de igualdade, e o termo médio de cobiça obtém o nome e a honra morais. Numa palavra: em condições muito pacíficas, falta a ocasião e a necessidade de educar os sentimentos para o rigor e para a aspereza, e agora começa todo o rigor, e até na justiça, a perturbar as consciências; a aspereza aristocrática e a autorresponsabilidade ofendem e engendram desconfiança, e o "cordeiro" e a "ovelha" ganham em estima pública. Na história da sociedade existe um ponto de amolecimento e efeminamento doentio em que a sociedade intercede a favor dos que a prejudicam, dos delinquentes, e procede assim de modo sério e honesto. Castigar e dever castigar de qualquer forma lhe parece iníquo – o fato é que a imaginação do castigo e de ver castigar atemoriza-o e lhe dói. "Não é suficiente torná-lo incapaz de repetir o crime?"

Para que, pois, castigar? O castigar não é por si uma coisa terrível?

Eis aqui as últimas consequências da moral de rebanho, a moral do medo. Se se pudesse eliminar o próprio perigo, que é a causa do medo, eliminar-se-ia esta moral; não seria ela então necessária.

Quem examine a consciência do moderno europeu, de mil curvas e esconderijos morais, tirará sempre o mesmo imperativo, o imperativo do medo do rebanho: queremos que algum dia *não haja nada que temer*. O caminho para chegar a este "algum dia" chama-se hoje, em toda a Europa, "progresso".

202

Deixai-nos dizer agora mais uma vez o que já dissemos cem vezes, pois os ouvidos são adversos a tais verdades, às *nossas* verdades. Bem sei quão ofensivamente soa quando alguém equipara sem metáfora e sem comparação o homem aos animais; bem sei que se nos acusará de *crime* ter aplicado constantemente aos homens e às ideias modernas as expressões "rebanho", "instinto de rebanho", e expressões semelhantes. Mas que importa!

Não podemos proceder de outro modo; nisto precisamente consiste nosso novo modo de ver as coisas. Achamos unânime a Europa em todos os julgamentos morais essenciais, compreendendo na palavra Europa os países em que predomina a influência europeia; na Europa se *sabe* evidentemente o que Sócrates julgava ignorar e o que a famosa serpente havia prometido revelar "sabe-se" hoje o que é o bem e o mal. E por isso soa dura e desagradavelmente aos ouvidos, quando sempre insistimos em dizer novamente que aquilo que acreditam saber, o que glorificam com elogios e vitupérios, e que a si mesmo se declara bom é o instinto do homem como animal de rebanho: o instinto que avança cada vez mais conseguindo a supremacia e a preponderância sobre os outros instintos, segundo a crescente aproximação e semelhança fisiológica do qual é o sintoma.

A presente moral de Europa é uma moral de animais de rebanho; e portanto, segundo a nossa maneira de compreender as coisas, uma espécie de moral humana, ao lado da qual, diante da qual e depois da qual muitas morais, *mais elevadas,* são ou deviam ser possíveis. Contra tal "possibilidade", contra tal "devia ser possível" luta essa moral com todas as suas forças; diz obstinada e inexoravelmente: "Eu sou a verdadeira moral e nada, fora de mim, é moral!" Sim, com a ajuda da religião que alimentou e ajudou os desejos mais sublimes do animal de rebanho, as coisas chegaram a tal ponto, que até nas instituições políticas e sociais vemos uma expressão cada vez mais clara dessa moral; o movimento democrático vai herdando o movimento cristão. Mas seu tempo, contudo, parece-lhes demasiado lento e sonhador aos mais impacientes, aos enfermos, aos monomaníacos do instinto de rebanho e é demonstrado pelos latidos cada vez mais furibundos, e sempre maldivisados pelo ranger de dentes cada vez mais feio dos cães anarquistas, que andam à espreita pelos becos da cultura europeia.

Aparentemente em contradição aos pacíficos e industriosos democratas e ideólogos da Revolução e os desajeitados filosofastros sonhadores da fraternidade (que se chamam socialistas e querem a "sociedade livre"), mas que na realidade estão de acordo com todos eles no ódio radical e instintivo a toda a forma social que não seja a do rebanho *autônomo,* estendem sempre seu repúdio às nações "senhor" e "servo" – (*ni dieu ni maître,* diz a fórmula socialista); e ainda no acordo e oposição tenaz contra todo direito, contra *todo* privilégio do indivíduo (quer dizer, no fundo, contra todo direito, porque na igualdade universal serão inúteis os direitos); de completo acordo na desconfiança à justiça que castiga (como se representasse uma violência contra o débil, uma injustiça contra o que é consequência *necessária* de todas as sociedades precedentes), de completo acordo na religião da compaixão e sentimento de pena para com tudo o que ainda sentem, vivem e sofrem descendo até os brutos e subindo até Deus: a "compaixão de Deus" pertence a uma época democrática); de completo acordo no grito de protesto, na impaciência da compaixão, no ódio mortal a todo sofrimento, na incapacidade feminina de permanecer como espectador e consentir deixar sofrer; de acordo com o involuntário obscurecimento e efeminação, sob cuja égide a Europa está ameaçada de um novo budismo; de acordo na fé da moral, da *mútua* simpatia, como se ela fosse a moral em si, o clímax, o *esperado* clímax da humanidade, a única esperança do futuro, o consolo do presente, a grande redenção das culpas do passado; de acordo com a fé de uma comunidade como *redentora*, no rebanho, pois em "si" mesmo...

203

Nós que temos a fé muito diversa; nós, que vemos no movimento democrático não somente uma forma de decadência de organização política, como uma forma equivalente de degeneração, um declínio do tipo homem, um rebaixamento de seu valor até a mediocridade, para onde nós devemos dirigir nossas esperanças? Para os *novos filósofos* – não há outra alternativa: para espíritos fortes e originais, que possam impulsionar escalas de valor opostas, deformar e inverter os "valores eternos"; para os precursores, para os homens do futuro, que formarão desde já um nó que obrigue a vontade de milênios a abrir-nos caminhos *novos*.

Ensinarão ao homem que seu futuro está na *vontade* e que de sua vontade humana depende preparar grandes empresas e experiências gerais de disciplina e criação para pôr fim à horrível dominação do contrassenso e do acaso, que até o dia de hoje chamaram "história" (contrassenso das "maiorias" é sua última forma) – para chegar a tal ponto seria mister uma nova espécie de filósofos e de governantes, em comparação com os quais tudo o que houve até agora no mundo dos espíritos misteriosos, terríveis e humanitários será uma pálida e turva ideia.

A visão de tais líderes resplandece a *nossos* olhos; posso dizê-lo francamente a vós, espíritos livres? As circunstâncias que seria necessário criar em parte e em parte utilizar para que tais homens possam surgir; os caminhos e provas que elevam a alma a suficiente altura e a um tal poder para compreender a necessidade de tal empresa, a inversão dos valores cuja nova pressão temperasse a consciência e mudasse o coração em bronze para que suportasse o peso de semelhante responsabilidade, e por outra parte a necessidade de tais líderes; o terrível perigo de que possam faltar-nos ou abortar e degenerar; eis aqui o que *nos* preocupa, o que *nos* conturba: não o sabeis também vós, espíritos livres? Estes são os graves pensamentos, as tempestades que atravessam o céu de *nossa* existência. Poucas dores há como a de ter visto, adivinhado, pressentido, o extravio e degeneração de um homem extraordinário; mas quem tenha os olhos abertos ao perigo comum de que o próprio "homem" degenera;

o que conheça como nós a monstruosa causalidade que até agora decidiu dos destinos humanos (nos quais nunca se misturou a mão de Deus, nem um dedo sequer); o que compreenda a fatalidade que se oculta na louca ingenuidade, na exagerada confiança nas "ideias modernas", e ainda em toda a moral cristã, europeia, este sentirá angústia com a qual nenhuma outra poderá ser comparada; por uma parte abarcará com um olhar o que poderia *fazer-se do homem* por meio de uma acumulação favorável e aumento de forças, e compreenderá com toda a convicção de sua própria consciência, que no homem não se esgotam ainda todas as possibilidades, que já outras vezes o tipo "homem" teve de fazer frente a novas e misteriosas decisões, a novos caminhos: mas, por outra parte, saberá também, por dolorosa recordação, em quantos ridículos escolhos naufragaram tantos seres destinados a grandes coisas ao nascer, e como se quebrantaram, se submergiram, se afogaram.

A degeneração universal do homem é principalmente o que os socialistas e os de pouca inteligência apresentam como homem do futuro, o "homem ideal"; este rebaixamento do homem, até converter-se em homem de rebanho (ou como dizem eles "em homem da sociedade livre"); o embrutecimento do homem tornado animal pigmeu dos mesmos direitos e exigências é *possível,* não há dúvida. Mas o que refletiu acerca desta possibilidade até o fim terá sentido uma repugnância mais do que os outros homens e percebido talvez uma nova *missão!*

SEXTA PARTE
Nós os sábios

204

Com risco de que o moralizar prove ser aquilo que sempre foi - literal e decisivamente *montrer ses plaies* - segundo Balzac - queria ousar opor-me a uma indevida e prejudicial alteração de categorias que, inadvertidamente, e ao parecer de boa-fé, ameaça hoje se manifestar entre a ciência e a filosofia. Parece-me que tenha direito à sua própria *experiência* - experiência, como me parece, significa sempre má experiência? - está em seu direito ao tratar elevada questão de categorias, para não falar com os daltônicos, ou como as mulheres e os artistas *contra* a ciência (Ó esta maldita ciência! - gemem o instinto e o pudor deles; ela sempre *nos mostra algo* atrás dos bastidores).

A declaração de independência do homem científico e sua emancipação da filosofia é um dos mais sutis produtos da essência e desordem democráticas; a própria exaltação e a presunção do sábio florescem hoje e festejam sua formosa primavera, o que não implica, neste caso, que a autoglorificação tenha um odor agradável.

"Livre de senhores!" - assim também o exigem aqui os instintos plebeus - e a ciência, depois de se defender com êxito brilhante e feliz da teologia, de que foi "servidora" por muito tempo, pretende agora, com absoluta arrogância e insensatez, ditar leis à filosofia e fazer-se finalmente de senhora: que digo eu!, quer ser filósofa. Em minha memória - na memória de um homem de ciência, permitam que o diga - surge agora, cheio de ingenuidade e orgulho, o que acerca da filosofia e dos filósofos surpreendi na boca de jovens naturalistas e de velhos médicos (sem falar dos mais cultos e presunçosos, dos filósofos e dos pedagogos, que possuem aquelas duas qualidades peculiares à sua profissão).

Às vezes era um especialista, um homem das encruzilhadas, que se punha em guarda instintivamente contra todas as aptidões e capacidades sintéticas. Outras vezes, um assíduo trabalhador que tinha sentido o odor de *otium* e de vida aristocrática e calma na economia filosófica da alma e com o qual se sentia ofendido e amesquinhado.

Outras era o daltonismo do utilitário, que vê na filosofia somente uma série de sistemas já *refutados* e um gasto inútil que a "ninguém aproveita". Às vezes se revelava o místico medo oculto de chegar aos limites do conhecimento, às vezes o despeito de alguns filósofos que sem o querer generalizam suas pessoas para menosprezo da própria filosofia. Mas frequentemente achei por fim nos jovens sábios, sob o orgulhoso desprezo da filosofia, o efeito deletérico de um certo filósofo, ao qual recusavam também a obediência, mas sem se emancipar do desdém que soubera inspirar contra todos os outros filósofos, e daí como resultado, malquerença contra toda filosofia. (Tal me parece ser, por exemplo, o efeito tardio de Schopenhauer na moderna Alemanha; graças à sua ininteligente exasperação contra Hegel, conseguiu separar a juventude da conexão da cultura germânica, a qual representa uma elevação e uma adivinhação requintada do sentido histórico; mas nisto Schopenhauer era, até à genialidade, pobre, estéril e não alemão.) E falando assim, em conjunto, pode ser que o "humano demasiado humano" dos modernos filósofos tenha contribuído, em suma, mais que a qualquer outra coisa, para destruir o respeito pela filosofia e tenha aberto a porta aos instintos plebeus. Tenha-se o valor de confessar ainda quão longe está nosso fundo filosófico moderno daquele outro em cujo céu brilharam como sóis Heráclito, Platão,

Empédocles e outros régios e magníficos solitários do espírito; assim se compreenderá como um homem de ciência se sinta a maior altura que o atual nível filosófico; que em virtude do estilo moderno sejam tão elevados como baixos na Alemanha, por exemplo, os dois leões de Berlim: o anarquista Eugênio Dühring e o amalgamista Eduardo Hartmann – um homem valente de ciência pode sentir-se de melhor espécie e de melhor descendência. Particularmente, o espetáculo daqueles filósofos baratos que se intitulam "realistas" e "positivistas" basta por si só para que na alma do jovem sábio e ambicioso seja lançada uma desconfiança perigosa.

No melhor dos casos, sábios e especialistas estão em geral já vencidos e subjugados como se vê facilmente – todos em conjunto vencidos e novamente levados para a obediência da ciência, que já alguma vez quiseram algo mais de si, sem entretanto ter o direito a esse "mais" e à sua responsabilidade e que, atualmente, honestos, raivosos, vingativos, representam a descrença na missão dominadora e representativa da filosofia com palavras e fatos; finalmente: Como podia ver de outra forma?

A ciência floresce hoje e mostra no seu rosto amplamente a boa consciência, enquanto aquilo que rebaixou aos poucos toda a filosofia recente, este resto da filosofia de hoje, faz atuar contra si a desconfiança e o desgosto quando não o menosprezo e a compaixão.

Uma filosofia reduzida à "teoria do conhecimento", mas que na realidade não é mais que um tímido resultado da época e uma doutrina da abstinência, uma filosofia que não sabe passar da soleira da porta, e que *nega* categoricamente a si mesma o direito de entrar: isto é uma filosofia nos últimos arrancos, um fim, uma agonia, algo que provoca compaixão.

Como, pois, uma tal filosofia poderia reinar!

205

Os perigos que têm de enfrentar hoje a formação e o desenvolvimento do filósofo são tantos, na verdade, que com dificuldade acreditamos que este fruto seja capaz de amadurecer. A estrutura extensa e elevadíssima da ciência cresce desmedidamente, e daí também a probabilidade de que o filósofo canse quando está estudando e se deixa fixar em alguma "especialidade", sem chegar à sua altura, isto é, a um olhar generalizado, à circunspecção, à fixidez do olhar. E se chega, chega já muito tarde, quando seu tempo e forças já estão gastos; ou então chega esgotado, brutalizado, *degenerado,* de maneira que seu olhar, o seu juízo complexivo dos valores têm pouca importância. Exatamente a sutileza de sua consciência intelectual, que talvez leve a demorar-se no meio do caminho, teme as seduções do diletantismo, o ser banal e corriqueiro. Sabe perfeitamente que alguém perdeu ante si mesmo a consideração e que, ainda chegando ao conhecimento, já não pode mandar nem *guiar:* a não ser que prefira resignar-se a ser um grande comediante, um Cagliostro filosófico, a seduzir os espíritos, a ser um sedutor. Em última análise, isto é questão de gostos, se porventura não for questão de consciência.

Para duplicar mais uma vez as dificuldades do filósofo que sempre reclama de si mesmo um juízo fechado, um sim ou um não rotundos, não somente sobre a vida e o valor da vida, e só dificilmente se convence de que tem o direito e sempre o dever de obter tal juízo, e que para chegar a ele tem de passar pelos conhecimentos de maior vulto – talvez os mais perturbadores e destruidores, tendo de, para alcançar o caminho aquele direito e aquela fé, vacilar, duvidar, dar tropeções e silenciar. O vulgo durante muito tempo desconheceu e enganou-se acerca do filósofo, confundindo-o, ora com o homem de ciência e com o sábio idealista, ora com o sentimentalista e místico que vive fora dos sentidos e do mundo, embriagado de divindade; e quando ouve louvar alguém porque vive "sabiamente" ou "como filósofo", para ele quer dizer apenas "vida prudente, retirada".

Sabedoria significa para o vulgo uma espécie de fuga, um meio e um artifício para sair de um mau jogo.

Mas o verdadeiro filósofo – não *nos* parece assim, meus amigos? – vive filosoficamente e "pouco sabiamente" e, sobretudo, imprudentemente e percebe o peso e o dever de inumeráveis tentativas e tentações da vida: arrisca-se constantemente, joga *seu* jogo perigoso...

206

Em relação ao gênio, isto é, um ser que nem procria nem pare – ambas palavras compreendidas em seu máximo sentido –, o sábio, o medíocre homem de ciência, parece-se sempre a uma velha solteirona. Porque esta, como ele, nada sabem sobre aquelas duas funções principais do homem.

A ambos, ao sábio e à solteirona, reconhecemos respeitabilidade à guisa de compensação – e damos aqui ênfase à respeitabilidade – e ainda, como decorrência do que concedemos, temos um acréscimo de desprazer.

Olhando mais cuidadosamente, que é o homem de ciência?

Antes de tudo, uma espécie de homem plebeu provido de virtudes plebeias; quer dizer, uma espécie de homem que não manda, não autoritário e não autossuficiente; é laborioso e tem paciência para classificar e ordenar a si mesmo, tem o sentido da regularidade e da moderação na capacidade e na necessidade; tem instinto para o *sui generis* e do que os plebeus *precisam*: – por exemplo um pouco de independência e de pasto verde, sem o qual não obtêm o descanso do trabalho; necessidade de ser honrado e louvado (como primeira e primacial pressuposição do reconhecimento e da reconhecibilidade), o raio de sol de um nome famoso, de selar constantemente seu valor e suas aptidões para domar a íntima *desconfiança* que está no fundo do coração de todos os homens dependentes e animais de rebanho, os quais devem ser superados.

O homem de ciência possui também, como é natural, as enfermidades e defeitos da espécie vulgar; é rico de baixa inveja e possui um olho de lince para o vulgar das naturezas superiores a cuja altura ele não pode subir. Mostra-se familiar, mas somente como alguém que se deixa ir, levar pela *corrente*; e permanece frio e encerrado em si mesmo ante o homem caudaloso – parecendo seus olhos um lago liso, contrariado, cujas ondas não se encrespam com nenhum entusiasmo e nenhuma simpatia.

Mas as coisas piores e mais perigosas de que é capaz um doutor provêm do instinto da medicina de sua espécie, daquele jesuitismo da mediocridade, que trabalha constantemente na demolição do homem excepcional, e tende a romper – ou melhor – *afrouxar* todo arco tenso ou procurar afrouxá-lo.

Afrouxar, por conseguinte, com consideração e naturalmente com mão indulgente – afrouxar com confiante simpatia: esta é a genuína arte do jesuitismo, que sempre pretendeu introduzir-se como a religião da compaixão.

207

Por grande que seja a nossa gratidão ao espírito *objetivo* – e quem não se saturou até a morte alguma vez do subjetivo e de sua ipsissimosidade? – finalmente, convém, contudo, aprendamos a ser cautos e nos guardemos daquela exageração que vê uma finalidade, uma redenção e uma transfiguração na renúncia à independência do espírito, como tem sido celebrado hoje e sucede principalmente à escola pessimista, a qual tem, por seu turno, altos motivos para decretar honras ao "conhecimento desinteressado". O homem objetivo, que não blasfema nem injuria como o pessimista, o sábio *ideal*, cujo instinto científico, depois de inumeráveis tentativas frustradas, consegue fazer caminho e desenvolver-se, é certamente um dos instrumentos mais preciosos, mas precisa de um braço potente. O verdadeiro homem de ciência não é mais que um instrumento, podemos dizer, um *espelho* – não uma *autofinalidade*.

O homem objetivo é, na verdade, um espelho, habituado a prostrar-se ante tudo o que exige ser conhecido; não sente outras satisfações que a de conhecer, a de "refletir", estar sempre aguardando que venha alguma coisa, e então põe-se ao largo, para que os vestígios mais leves, os caminhos dos fantasmas, imprimam-se em sua superfície, em sua epiderme.

O que ainda lhe resta de sua "pessoa" parece-lhe acidental, arbitrário, importuno;

ele mesmo veio a ser um objeto pelo qual passam e no qual se refletem as imagens e sucessos do exterior. Ele reflete em si mesmo com dificuldade, muitas vezes erroneamente e confunde-se facilmente: desconhece suas próprias necessidades, e só nisto é indelicado e negligente.

Talvez lhe atormentem os cuidados da saúde, as pequenas misérias da vida, o ar carregado que divide com a mulher ou com o amigo, na falta de companheiro e de convívio; mas, por muito que se esforce para pensar em suas misérias, é tudo em vão!

Já voa além seu pensamento para *generalizar,* e amanhã saberá melhor que hoje como ele poderá ser auxiliado. Perdeu a seriedade ante si mesmo, e também o tempo; vive alegre, *não* por falta de necessidade, mas por falta de dedos para a sua necessidade. Sua habitual amabilidade para todas as coisas e acontecimentos, sua hospitalidade serena e insuspeita com que acolhe tudo que vem ao seu encontro, sua espécie de benevolência que não conhece limites; seu perigoso descuido do sim e do não; mas, em quantos casos tem de pagar essas virtudes! E como homem, tornar-se facilmente o *caput mortuum* dessas virtudes.

Se lhe pede amor ou ódio – amor e ódio à maneira de Deus, da mulher e do bruto – fará quanto puder e dará quanto pode. Mas não nos maravilha que dê pouco, que se mostre aqui falso, frágil, equívoco.

Seu amor é querido, e seu ódio é artificial, *un tour de force* de homem levemente vaidoso, uma exageração. É sincero somente quando pode ser objetivo: só em seu sereno "totalismo" é ainda "natureza" e "natural". O espelho de sua alma, sempre liso, não sabe afirmar nem negar; nem manda nem destrói. *"Je ne méprise presque rien"*, diz ele, com Leibniz. Notemos e sobrestimemos o *"presque"*. Não é nem sequer um homem modelo; não vai à frente nem atrás de ninguém; coloca-se a uma distância demasiado grande para poder tomar partido pelo bem ou pelo mal. Se por tanto tempo foi confundido com o *filósofo,* foi celebrado com honras elevadas demais à sua pessoa e não se viu o que nele é essencial: ele é o instrumento, uma espécie de escravo, escravidão das mais sublimes, mas em si, porém, nada – *presque rien!*

O homem objetivo é um instrumento, um instrumento precioso de medida que facilmente se quebra, um espelho artístico que facilmente se empana, e que se deve manejar com cuidado e com respeito; não é um fim, não é um ponto de partida nem de chegada, não é homem completamente no qual se justifique o *resto* da existência, não é uma conclusão, e menos ainda um princípio, um gerar, uma causa primeira, algo maciço e sólido, e subsistente por si mesmo que queria dominar; é melhor um vaso artisticamente cinzelado, delicado, elástico, que está esperando e deve esperar, um conteúdo precioso, para enchê-lo e dar-lhe a forma, e frequentemente é um homem sem valor e sem conteúdo, um homem "altruístico". Por conseguinte, pouco agradável às mulheres, *in parenthesi.*

208

Quando hoje um filósofo dá a entender que não é cético – creio que se terá adivinhado isto pela precedente descrição do espírito objetivo – tal confissão despertará rumores; será olhado com certo temor e dúvida; desejar-se-ia perguntar-lhe tantas coisas, tantas... até os mais tímidos, desses de que hoje existe grande quantidade, proclamarão que é um ente perigoso. Ao ouvi-lo renegar o ceticismo, parecer-lhes-á como se ouvissem de longe um rumor ameaçador, como se estivesse fazendo experiências com alguma nova substância explosiva, com alguma dinamite espiritual, com alguma *niilina* russa de nova invenção; parecer-lhes-á notar um pessimismo *bonae voluntatis,* o qual não só diz *não,* não quero, porém, é horrível pensar! *Realiza* o não. Contra esta espécie de "boa vontade", de negação real e efetiva à vida, não há melhor antídoto, melhor calmante, que o ceticismo, que o manso e soporífero envolvente e meigo ceticismo; e até os médicos modernos receitam uma dose de Hamlet contra o "espírito" e contra seu murmúrio subterrâneo.

"Porventura não temos já os ouvidos cheios de maus rumores?", diz o cético como um amigo da quietude, como um policial pela segurança pública: este *não* subterrâneo é terrível! "Acalmem-se pois vós, toupeiras pessimistas". O cético, pois, esse ser delicado, entreamedronta-se facilmente; sua consciência está amestrada para estremecer quando ouve um não e até um sim rotundo, duro de sentir como uma mordedura.

Sim! E Não! – Isto lhe vai contra a moral; prefere o inverso, celebrar sua virtude com uma abstinência distinta, e dizer como Montaigne: "Que sei eu?" ou como Sócrates: "Só sei que nada sei!"; ou também: "Aqui não me fio porque não vejo porta aberta, e se estivesse aberta, para que entrar logo?"; ou então: "De que servem as hipóteses prematuras?" O abster-se de hipóteses é indício de bom gosto. Porventura, estais obrigados a indireitar o torto, tapar os buracos com estopa? Não haverá tempo para isto? Não se pode dar tempo ao tempo?

Por que não quereis esperar, filhos de cão? Também o incerto tem seus atrativos, também a esfinge é uma Circe, também Circe filosofava.

Estes são os consolos do cético; e é mister confessar que muito necessita deles. O ceticismo é a expressão mais espiritual de certo estado fisiológico que em língua vulgar se chama debilidade nervosa e mórbida, a qual se manifesta sempre que as raças ou as classes por longo tempo separadas se cruzam de modo decisivo e repentino. Então, na nova geração, que herdou diferentes medidas e valores de sangue, tudo é inquietude, perturbação, dúvida, tentativa. As melhores forças têm um efeito freador; as próprias virtudes impedem o crescimento e o robustecimento; o corpo e a alma carecem de equilíbrio, de força, de gravidade, de segurança perpendicular. Mas o que neles está mais debilitado e enfermo é a vontade: não conhecem a independência da resolução, a vontade alegre do querer; duvidam do livre-arbítrio até quando sonham. Por isso a moderna Europa, teatro de uma mistura repentina e radical de classes, e portanto de raças, é por isso cética, em todas as suas alturas e baixezas, com aquele ceticismo, ora móvel e leviano que salta de ramo em ramo, ora negro e sombrio qual uma nuvem de tempestade carregada de interrogações, e saciada de sua vontade até a morte!

Paralisia da vontade: Onde não se acha hoje semelhante ser aleijado?

E quantas vezes está enfeitado e com que adornos tão sedutores! Esta enfermidade se cobre com as mais suntuosas vestes da mentira: e tudo, por exemplo, o que hoje se pavoneia com o título de "objetividade", de "espírito científico", de *"l'art pour l'art"*, de "conhecer puro e voluntário da vontade", não é mais que ceticismo, paralisia da vontade; estou pronto para garantir este diagnóstico da Europa. A enfermidade da vontade está difundida desigualmente pela Europa; manifesta-se de modo mais grandioso e mais múltiplo onde a cultura é mais antiga, e desaparece à proporção que o "bárbaro" ainda – ou novamente – faz valer seus direitos sob as vestes bambeantes da cultura ocidental.

Por isso é hoje, na França, onde a vontade está mais enferma, o que facilmente se pode concluir e é palpável; e a França, que sempre foi mestra em converter as crises portentosas do seu espírito em algo encantador e sedutor, manifesta hoje enfaticamente sua ascendência intelectual sobre a Europa pela escola e exibição de todos os encantos do ceticismo: a força de vontade e de persistir, sobretudo, na resolução está mais acentuada na Alemanha, e no norte é mais intensa do que no centro; é bastante maior na Inglaterra por sua fleugma, e na Espanha e Córsega pelas duras cabeças de seus habitantes – sem falar da Itália, que é demasiado jovem para que possa saber-se o que quer e antes precisa mostrar se realmente quer algo; – mas onde a vontade está maravilhosamente desenvolvida é no imenso império do meio que une a Europa à Ásia; quer dizer, na Rússia. Ali a força de querer, por muito tempo contida e acumulada, está aguardando ocasião para descarregar-se de modo ameaçador, não se sabe se em afirmações ou em negações (peço emprestado aos nossos físicos uma de suas frases favoritas). Talvez não seja necessário nem guerras nem complicações índicas na Ásia para que a livre Europa se veja livre e em maior perigo que a ameaça, bastará a desintegração daquele império em pequenos estados e sobretudo a introdução da imbecilidade parlamentar, acrescida ainda da obrigação de cada um ler o jornal cada manhã. E não o digo porque o deseje; intimamente desejaria o contrário – preferiria um aumento na atitude ameaçadora da Rússia, para que a Europa fosse obrigada a resolver, sob a ameaça, isto é, a obter uma *vontade única*, por meio de uma nova casta de senhores que governe a Europa, uma vontade duradoura, terrível que fixe uma meta de milênios, para pôr fim à velha comédia de sua divisão em estadinhos e do mesmo modo seu dinâmico democrático querer demais.

Passou o tempo da política miúda; o próximo século nos promete a luta pelo domínio do mundo, a *necessidade* de fazer grande política.

209

Até que ponto a nova época belicosa, na qual entramos evidentemente os europeus, possa favorecer o desenvolvimento de uma espécie de ceticismo mais robusto, procurarei explicá-lo por meio de uma metáfora que será compreensível aos que não ignoram a história alemã.

Aquele rei da Prússia, ardente entusiasta ilimitado dos granadeiros bonitos e altos, pai de um gênio militar e cético, como também do novo tipo alemão, hoje vitorioso, pai lunático do grande Frederico, possuía também num ponto o tato feliz do gênio: sabia do que necessitava então a Alemanha, cuja falta era centenas de vezes mais angustiosa e premente do que, por exemplo, a falta de instrução e de distinção, e sua antipatia para com o jovem Frederico provinha das angústias de um instinto mais profundo. Faltavam homens, e ele suspeitava com amargo desgosto que também seu filho não era suficientemente homem.

Nisto se enganou; mas, quem em seu lugar não se teria enganado? Ele viu o filho cair vítima de ateísmo, do *"esprit"*, da vida leviana e sensual dos franceses "espirituosos"; percebia no fundo o grande vampiro do ceticismo que pressagiava o tormento incurável de um coração incapaz tanto de resistir ao mal como de abraçar o bem, de uma vontade destroçada que já não manda nem pode mandar. Mas entretanto, se enraizava em seu filho uma nova espécie de ceticismo mais perigoso e tenaz, talvez, quem sabe, fomentado pelo ódio paterno e pela melancolia glacial da vontade que teve de se isolar, o ceticismo da viril ousadia, que é o mais afim ao gênio da guerra e da conquista, e o que sob os auspícios do grande Frederico fez sua entrada na Alemanha.

Tal ceticismo despreza e, contudo, atrai fortemente; sapa e ocupa; não crê, porém não se perde na descrença; concede ao espírito sua liberdade perigosa e submete a duro freio o coração. Tal é a forma alemã do ceticismo a qual como um fredericianismo continuado e elevado ao espiritual, por muito tempo dominou a Europa e manteve submissos o espírito germânico e sua desconfiança crítica e histórica.

Graças ao caráter forte, tenaz e indomável dos grandes filólogos alemães e dos críticos históricos (os quais, se bem os olhamos, foram artistas da demolição e da decomposição, afirmou-se um pouco, apesar da direção romântica da música e da filosofia, um novo conceito do espírito germânico, no qual se destacava a propensão ao ceticismo viril, ora na intrepidez do olhar, ora no valor e inflexibilidade da mão que secciona, ora na tensa vontade de empreender viagens perigosas de descobrimento, expedições polares no mundo do espírito sob um céu deserto e perigoso. Algo havia, quando uns homens humaníssimos de sangue quente e superficiais faziam a tal espírito o sinal da cruz; *"cet esprit fataliste ironique, méphistophélique"* como o chama, não sem estremecer, Michelet.

Se quer sentir de que modo excelente este medo do homem está dentro do espírito germânico pelo qual a Europa foi acordada do seu sonho "dogmático", este deve lembrar-se do conceito antigo com o qual foi preciso vencer que, numa época não muito longínqua, uma virago, em sua desenfreada presunção, ouso recomendar à compaixão da Europa os alemães como seres pesados, inofensivos, bonachões, carentes de vontade e sentimentais. Já é tempo de se compreender a admiração de Napoleão quando viu Goethe: isto explica a ideia que por tantos séculos se tinha do "espírito alemão". *"Voilà un homme!"* Como se dissesse: "É um homem, e eu esperava ver um alemão!"

210

Supondo que, na imagem dos filósofos do futuro, algum que outro traço deixe adivinhar em que forma devam ser céticos, no sentido ultimamente indicado, com isto não se faria senão explicar uma parte e não eles mesmos. Com o mesmo direito poder-se-iam chamar críticos e certamente serão homens de experiência. No nome em que os batizei quis expressar o experimentar e a vontade de experimentar e o prazer que aí encontram: talvez porque eles, como críticos em corpo e alma, gostam de servir-se dos experimentos num novo sentido, mais lato e mais perigoso? Estarão abrasados pelo desejo de conhecer e de avançar, com suas tentativas audazes e dolorosas, muito mais longe que o gosto efeminado de um século democrata?

Indubitavelmente, os filósofos do porvir não crescerão daquelas qualidades sérias e profundas que distinguem o crítico do cético; isto é: a segurança da medida dos valores, o uso constante de unidade de método, a coragem escorreita, o sentimento de estar sozinhos, de poder justificar-se; sim, confessarão que acham gosto em negar, em seccionar, e certa crueldade meditada que sabe manejar o bisturi com delicadeza, ainda quando lhes sangre o coração. Serão mais duros (e talvez nem sempre contra si mesmos) do que certos humanitários poderiam desejar; não abraçarão a verdade porque lhes "agrade" ou porque os "eleve" ou os entusiasme: estarão muito longe de acreditar que a verdade traga consigo tais gostos para o sentimento. Espíritos severos, sorrirão quando alguém lhes diga: "Esta ideia me eleva, como não há de ser verdadeira?"; ou então: "Esta obra me entusiasma, como não há de ser bela?"; ou então: "Aquele artista me engrandece, como ele não há de ser grande?" E talvez não se contentarão em rir, mas lhes dará legítimas náuseas tal sentimentalismo idealista, feminil e hermafrodita, e quem poderá seguir seu pensamento íntimo dificilmente acharia nos rincões de seu coração a intenção de reconciliar os "sentimentos cristãos" com o "gosto antigo", e muito menos com o "parlamentarismo moderno" (como sucede neste século instável e conciliador e até entre os filósofos).

Mas a disciplina crítica e tudo o que valha para o hábito de um pensar puro e rigoroso, e isto exigirão os filósofos do futuro e não somente de si, mas exibirão como uma espécie de adorno – apesar disso não quererão ser chamados críticos. Parece-lhes não pouca vergonha o dar sentenças como esta à filosofia como tanto se faz hoje: "A filosofia em si mesma é crítica e ciência da crítica e nada mais". Embora seja tal escala de valores da filosofia a vontade dos positivistas franceses e alemães (e que no fundo do coração e do gosto de Kant haviam agradado como o provam os títulos de suas obras) dirão, contudo, novos filósofos: "Os críticos são os instrumentos do filósofo, e por isso mesmo distam muito de ser filósofo". O grande chinês de Koegnigsberg era no fundo um grande crítico.

211

Insisto em que não se confundam os trabalhadores da filosofia, e em geral os homens de ciência, com os filósofos, e que a cada um se lhe dê rigorosamente o que é seu, nem mais nem menos. Talvez para a educação do verdadeiro filósofo convirá que recorra e passe todos os degraus em que se detiveram aqueles trabalhadores científicos da filosofia; talvez deva ser crítico e cético, e dogmático, e historiador, e poeta, e observador, e viajor, e adivinhador de charadas, e moralista, e vidente, e "espírito livre", percorrendo todo o recinto dos valores humanos e das avaliações do valor, para desfrutar de mil olhos e de mil consciências da altura para aquela longitude, da profundidade para aquela altura, do ângulo para aquela amplidão. Mas tudo isso não é senão uma condição preliminar de sua tarefa: a tarefa em si exige outra coisa muito diferente, a *criação* dos valores. Aqueles trabalhadores da filosofia, cujo modelo digno são Kant e Hegel, têm uma grande reserva de estimações de valores – quer dizer antigas *escalas de valores,* criação de valores que se tornaram dominadores e são chamados durante algum tempo "verdades" – e fixam e limitam certas fórmulas ora no reino da lógica, ora no da política, ora no da moral, ora no da arte. A estes investigadores concerne a tarefa de tornar claros, inteligíveis e palpáveis todos os acontecimentos e apreciações até então, abreviar o que é vasto, aumentar a velocidade, subjugar todo o passado; tarefa imensa e admirável, na qual encontra satisfação todo orgulho delicado, toda vontade capaz. Mas os *verdadeiros filósofos* são dominadores e legisladores: dizem "assim deve ser", e fixam de antemão o "para onde" e o "para que" do homem, e, ao fazer isto, usufruem o trabalho preparatório de todos os trabalhadores da filosofia, de todos os vencedores do passado. Alargar o futuro a sua mão criadora, e tudo o que é, e tudo o que foi, torna-se para eles um meio, um instrumento, um martelo. Seu conhecer equivale a *criar,* seu criar equivale a legislar, sua vontade da verdade equivale *à vontade de potência.* Existem hoje semelhantes filósofos? Já havia tais filósofos? Não é *necessário* que existam?

212

Parece-me sempre cada vez mais evidente que o filósofo, como homem indispensável do dia de amanhã, e do depois de amanhã, *devia* achar-se, é *obrigado* a achar a si mesmo, sempre em contradição com a sua época: seu inimigo foi sempre o ideal de sua época. Todos estes favorecedores do homem que se chamam filósofos, os quais nunca se consideraram amigos da sabedoria, mas loucos desagradáveis e interrogadores perigosos, acharam que sua tarefa era ingrata, áspera, indeclinável, e reconheceram sua grandeza pelo fato de representar a má consciência dos tempos em que viviam.

Com aplicar o estilete do vivissector no peito das *virtudes da época,* deixaram transluzir seu próprio segredo: o segredo de conhecer uma *nova* grandeza do homem e de buscar um caminho novo e inexplorado para a sua amplitude. – Cada vez descobriram quanto de mentira e de comodidade de deixar-se ir e deixar-se cair, quanto de pouca verdade ficou oculto no tipo mais honrado da moralidade contemporânea, quanta virtude já passada e cada vez eles diziam: "Nós devemos ir às regiões a que estais menos acostumados". Ante o mundo das "ideias modernas", que desejaria determinar um "lugar especial" a cada um, se não existissem filósofos, um filósofo ver-se-ia obrigado a contrapor a grandeza do homem, o conceito da "grandeza" em toda a sua extensão, em sua multiplicidade, em sua integridade, em sua pluralidade, e determinaria o valor e a categoria segundo a capacidade de cada um para suportar coisas diversas, segundo a tensão de sua responsabilidade.

Hoje, o gosto da época, a virtude da época, debilita e apequena a vontade; nada mais moderno que a debilidade de vontade, pela qual no ideal do filósofo, seu conceito de grandeza, deve compreender também a fortaleza da vontade, a força de resistência, a capacidade de tomar resoluções constantes. E isto com igual direito com que a doutrina e ideias opostas de uma humanidade imbecilmente resignada, abnegada à nossa, para uma época que, como o século XVI, sofria sob o peso da energia de vontade acumulada e das ondas agitadas e das ressacas dos sentimentos egoístas.

Nos tempos de Sócrates, entre uma multidão de homens de instintos gastos, entre os velhos atenienses conservadores que se deixavam levar "para a felicidade" como diziam – e realmente para os seus prazeres como faziam –, tinham sempre cheia a boca de expressões magníficas, às quais não tinham direito, talvez a ironia fosse necessária à grandeza de ânimo, talvez se precisasse da plebe, que seccionava sem piedade a própria carne, como também a carne e o coração dos aristocratas com o escalpelo de um olhar que dizia francamente: "Não vos mistifiques ante mim! Aqui todos somos iguais!" Ao contrário, hoje na Europa, onde só os animais de rebanho alcançam as honras e as distribuem, onde a "igualdade de direitos" se converte em igualdade de injustiça; quero dizer guerra ao raro, ao estranho e ao privilegiado, ao homem superior, à alma superior, ao dever superior, à responsabilidade superior, ao império da força criadora: hoje digo, na Europa, ser aristocrata, ser diverso dos outros, ser só e viver para si só são tributos da "grandeza"; e o filósofo deixará perceber seu ideal o dia em que ele decretar: "O maior será o mais solitário, o mais misterioso e o mais diferente dos outros, o homem além do bem e do mal, dominador de suas próprias virtudes, exuberante de vontade; isto deve chamar-se grandeza: ser múltiplo e uno, juntar a máxima extensão ao máximo conteúdo".

E novamente pergunto: É hoje *possível* tal grandeza?

213

O que seja um filósofo é difícil sabê-lo, porque não é possível ensiná-lo. Mas é preciso que se saiba por experiência – ou se deve ter o orgulho de não saber. Mas o prurido de falarem hoje todos do que não têm experiência refere-se de um modo mais amplo e pior aos filósofos e às coisas filosóficas: – muito poucas pessoas estão no caso de conhecer o filósofo; todas as opiniões vulgares sobre eles são falsas.

Assim, por exemplo, aquela coexistência filosófica de uma espiritualidade impertinentemente audaz e que corre “presto”, com uma dialética rigorosa e necessária, que não dá nenhum passo em falso, é completamente alheia e incrível à maior parte dos pensadores e dos homens de ciência caso alguém deles queira falar. Eles julgam que a argumentação será necessariamente penosa, e o próprio pensar lhes parece algo lento, difícil, trabalhoso e às vezes “digno do suor de um fidalgo”, mas nunca algo leviano, divino, semelhante à dança e proximamente aparentando aos entusiasmos juvenis. “Pensar” é para eles tomar uma coisa “a sério”, com gravidade; isto lhes ensina a experiência. Os artistas têm o olfato mais fino; sabem muito bem precisamente quando não está em seu espírito, em seu arbítrio o fazer uma coisa, mas quando se veem forçados a fazê-la então seus sentimentos de liberdade, de finura, de pleno poder, de preparar, de dispor e traduzir para a realidade suas criações, alcançam com o “livre-arbítrio”.

Por último existe uma escala de estados de alma, à qual se conforma a ordem graduada dos problemas, e os mais altos problemas repelem sem piedade a quantos ousam aproximar-se deles sem a tanto estarem predestinados, pela elevação e potência de sua intelectualidade, para poder resolvê-los. De que serve que suas universais e móveis cabeças ou cabeças duras de mecânicos ou de empíricos se aproximem destes problemas com sua ambição plebeia como acontece hoje tão amplamente e metam-se por assim dizer na corte das cortes? Semelhantes tapetes não admitem de forma alguma os pés grosseiros; assim o previu a lei primitiva das coisas; para estes intrusos ficam fechadas as portas, e eles tratam em vão de abri-las com a cabeça até quebrá-la. É mister ter nascido para o mundo elevado: o direito à filosofia, devo dizer no sentido amplo, só se obtém graças ao seu nascimento; também aqui decide o "sangue". Muitas gerações preparam o advento do filósofo; cada uma de suas virtudes há de ser adquirida, cultivada, herdada e incorporada; não só o fluir leve e delicado de seu pensamento, mas também, e principalmente, a sincera disposição às grandes responsabilidades; à magnitude dos olhares reinantes e do olhar para baixo, o sentir-se separado do vulgo, de suas obrigações e virtudes; a proteção e defesa bondosa de todo o mal interpretado ou caluniado, de Deus ou do diabo; a satisfação da grande justiça, a arte de mandar, a amplitude da vontade, o olhar repousado, que raramente admira, que raramente olha para cima, que raramente ama...

SÉTIMA PARTE
Nossas virtudes

214

Nossas virtudes? É provável que também ainda tenhamos virtudes, embora não sejam aquelas virtudes cândidas e grosseiras que honramos em nossos avós, embora nos mantenhamos um pouco à distância. Nós, europeus de depois de amanhã, primícias do século XX, com nossa perigosa curiosidade, com nossa multiplicidade, com nosso amor da arte da dissimulação, nossa crueldade branda, por assim dizer adocicada no espírito e no sentimento – acaso tenhamos virtudes serão apenas aquelas que melhor se acomodem com as nossas inclinações mais secretas e mais íntimas, com as nossas mais ardentes necessidades; vamos, pois, buscá-las em nossos labirintos, onde, como é bem sabido, há muitas coisas perdidas e às vezes completamente perdidas.

Porventura, há algo mais "formoso" que ir *em busca* das próprias virtudes? Não equivale isto a *ter fé* na própria virtude? Mas esta fé não é porventura equivalente ao que se chamou de "boa consciência", conceito venerável que nossos pais como um rabicho penduravam muitas vezes atrás da nuca, e atrás do intelecto?

Parece-me que, por muito que honremos a moda antiga e o sentir de nossos avós, numa coisa deles somos herdeiros, nós os europeus, na boa consciência: também nós levamos uma trança! Mas, ah! Se soubésseis quão breve, quão demasiadamente breve as coisas serão diferentes!

215

Assim como no reino sideral dois sóis determinaram às vezes a órbita de um planeta, e em alguns casos o planeta é iluminado pelos sóis com luz de diferentes cores, ora com luz vermelha, ora com luz verde, ou então simultaneamente o inunda com luz clara e de cores, assim, nós, os homens modernos, graças à mecânica complexa de nosso firmamento, somos determinados por morais diferentes; nossas ações refletem alternadamente várias cores, raras vezes mostram uma só, e em alguns casos procedemos de maneira multicor.

216

Amar os inimigos? Eu creio foi bem aprendido este preceito, e ele acontece hoje de mil maneiras, em pequena e em grande escala. E ainda às vezes acontece algo melhor e mais sublime; desprezamos o que amamos e precisamente o que mais amamos – e tudo isto inconscientemente, sem fazer ruído, com aquele pudor e segredo da bondade que proíbe aos lábios palavras solenes e fórmulas virtuosas.

A moral com "atitude" repugna ao nosso gosto moderno. E isto é um progresso como também para nossos pais foi um progresso quando a religião lhes repugnou como "atitude", incluindo a inimizade e a amargura voltaireana contra a religião (e tudo aquilo que outrora fazia parte da linguagem e dos gestos do livre-espírito).

É a música de nossa consciência, a dança de nosso espírito, que não sabe suportar as tiranias dos puritanos, dos sermões dos moralistas e da bondade dos homens de "bem".

217

Cuidai-vos daqueles que insistem em que se lhes reconheça um delicado tato moral nas distinções morais: nunca nos perdoarão o ter cometido uma falta diante de nós (ou talvez contra nós); convertem-se inevitavelmente em caluniadores e detratores nossos, embora continuem sendo nossos amigos. Bem-aventurados os que esquecem, porque assim esquecem também as necedades que cometeram.

218

Os psicólogos franceses – há psicólogos fora da França? – ainda não acabaram de satisfazer seu prazer amargo e múltiplo nos *petis bourgeois,* por assim dizer, como se... basta! Com isso eles descobrem algo. Flaubert, por exemplo, o honesto burguês de Rouen, acabou por não ver, nem sentir, nem gostar de outras coisas; era sua maneira de torturar a si mesmo, uma crueldade requintada contra si mesmo. Pois bem; para evitar o tédio eu recomendaria alguma outra coisa a vosso entusiasmo, quer dizer, a astúcia inconsciente de que se valem os espíritos medíocres em suas relações com os espíritos superiores, e sua atitude a respeito das empresas que estes acometem: aquela astúcia complicada e jesuítica, que é mil vezes mais requintada do que o juízo e gosto dessa burguesia média em seus melhores instantes – e ainda mais que o entendimento de suas vítimas: – o qual acaba de demonstrar que o "instinto" é a mais inteligente das inteligências até agora descobertas. Numa palavra, estudai, ó psicólogos, a filosofia da "regra" em sua luta contra a exceção, e obtereis um espetáculo digno dos deuses e da malícia divina. Ou então, digamo-lo ainda mais claro, fazei vivessecção sobre o homem "bom", sobre o homem *bonae voluntatis...* sobre vós mesmos.

219

O julgar e condenar moralmente é a vingança favorita das almas estreitas contra as mais elevadas; uma espécie de indenização por tudo o que obtiveram de menos da Natureza, e finalmente uma boa ocasião para demonstrar espírito e tornar-se sutil – maldade espiritualizada. No fundo de seu coração alegram-se de que haja uma medida ante a qual são seus iguais os homens espiritualmente ricos e privilegiados: – quebram lanças pela "igualdade de todos ante Deus", e tal opinião é quase *necessária* para crer em Deus. Entre eles é onde se acham os adversários mais convencidos do ateísmo. Se alguém lhes dissesse que não há comparação entre uma alta espiritualidade e um homem "simplesmente moral", torná-los-ia hidrófobos: – precaver-me-ei de fazê-lo. Ao contrário, quisera congratular-me com eles assegurando-lhes que uma espiritualidade em si consiste no maior expoente de certas qualidades morais; que é uma síntese de todos aqueles estados através dos quais só podem passar os homens exclusivamente morais, solitários, estados adquiridos mercê de uma longa evolução, por uma longa cadeia de gerações; que a alta espiritualidade representa a espiritualização da justiça, daquele rigor misturado com bondade cujo ofício exige no mundo uma *hierarquia* também entre as coisas e não só entre os homens.

220

O elogio hoje tão popular do desinteresse deve-se compreender, não sem perigo próprio, naquelas coisas que interessam mais ao povo e quais são as coisas que finalmente interessam o homem comum intensiva e profundamente: inclusive os instruídos, até os sábios e quase também os filósofos.

Deste exame resulta que o que interessa aos gostos mais requintados e delicados, tudo o que atrai e entusiasma as naturezas superiores é completamente "desinteressante" para o homem medíocre, e se ele percebe uma inclinação para tudo isso, a chamará de *"désintéressé"* e se maravilhará de que possa proceder "desinteressadamente".

Houve filósofos que souberam dar a esta admiração vulgar uma expressão sedutora e mística (talvez porque não conheciam experimentalmente naturezas superiores?) em lugar de expor a verdade nua e crua que todo "ato desinteressado" é sempre um ato muito interessante e muito "interesseiro", supondo que...

"E o amor?" Mas como um ato inspirado pelo amor poderá ser não egoísta? Vós, bobos!...

E os elogios que merece aquele que se sacrifica? Quem se sacrificou de verdade sabe que algo queria como uma compensação por seu sacrifício e o recebeu; dava parte de seu ser para obter maior ser, entregou aqui para ter mais ali, talvez para sentir-se "mais".

Mas por este caminho nos meteríamos num labirinto de perguntas e respostas que o homem de bom gosto trata de evitar; porque a verdade deve deixar de bocejar sem dúvida, quando é obrigada a responder. Afinal de contas é uma senhora e não se lhe deve fazer violência.

221

"Acontece – dizia um pedante moralista, um mercador de futilidades – que honro e trato com distinção um homem desinteressado; mas não porque seja tal, mas porque me parece que tem o direito de ser útil a outros homens por sua custa. Basta apenas saber quem é ele e quem é o outro.

Por exemplo, num indivíduo que é predestinado para o mando, a abnegação e a modéstia não seriam virtudes, mas desperdícios de virtudes: assim me parece. "Toda moral não egoísta que se julga absoluta e se aplica a todos não só peca contra o bom gosto, mas é uma excitação aos pecados de omissão, uma sedução mais sob a máscara da filantropia, e precisamente para seduzir e prejudicar os homens mais elevados, mais raros e privilegiados. É necessário obrigar os sistemas de moral para que se inclinem ante a *hierarquia,* é necessário fazê-los perder sua arrogância e demonstrar-lhes quão imoral é dizer: "Aquilo que é justo para um, o é também para outro".

Assim falava meu pedante moralista e *bonhomme.* Será que ele merecia o ridículo por exortar à moral os homens morais? Não é bom ter demasiada razão quando se quer ter os que riem ao seu lado; um grãozinho de sem-razão é indício de bom gosto.

222

Quando se prega hoje a compaixão – e, bem-entendido, nenhuma outra religião é pregada hoje – o psicólogo deve abrir muito os ouvidos: através da vaidade e do ruído, que são próprios de tais pregadores (e talvez de todos os pregadores), ouvirá um gemido rouco e sincero de *desprezo de si mesmo.* Tal fato faz parte daquele embrutecimento e enfeamento da Europa, que vai crescendo de século para século (e cujos primeiros sintomas estão assinalados e documentados na ponderada carta do Abade Galliani à senhora Epinay) *se não for causa daquele embrutecimento e enfeamento.*

O homem das "ideias modernas", este

mono orgulhoso, está muito descontente de

si mesmo. Não há dúvida. Ele sofre, e sua vaidade exige que ele somente *"sofra com"*.

223

O conglomerado europeu, produto de raças cruzadas, um plebeu em suma bastante feio, sente necessidade de uma vestimenta, necessidade da história como guarda-roupa universal. Mas vê logo que nenhum vestido lhe assenta bem, e, portanto, muda de roupa sem cessar. Repare-se, neste século, esta contínua preferência e troca de máscaras de estilo e repare-se também os momentos de desespero quando nenhum deles nos "assenta". Em vão se tomam as vestimentas românticas, clássicas, cristã, florentina, barroca ou "nacional" *in moribus et artibus*: nenhuma nos assenta bem!

Mas o "espírito", principalmente o "espírito histórico", procura tirar proveito desse desespero, sempre procura experimentar um pedaço de pré-história e do que é estrangeiro, põe-no aos ombros, enrola-se nele, põe-no fora e principalmente *estuda* a si mesmo: – somos a primeira era mais estudada *in punctu* em questões de moral, em artigos de fé, em gostos artísticos e em religiões, e estamos mais ataviados que nunca para o carnaval do grande estilo, para o absurdo, para a leviandade e para o riso carnavalesco espiritual, elevados à última potência da loucura e do escárnio do mundo aristofanesco.

Talvez aqui, justamente, aqui, descubramos o reino de nossa "invenção"; aquele reino em que nos é dado ainda ser originais como os parodistas da história universal, ou como jograis de Deus; embora hoje nada tenha futuro, talvez nosso riso seja a única coisa que ainda tem futuro.

224

O *sentido histórico* (ou seja, a faculdade de adivinhar rapidamente as escalas de valores, segundo as quais viveu um povo, uma sociedade ou um indivíduo; o instinto de adivinhar a relação de tais apreciações, quer dizer, entre a autoridade dos valores e a autoridade das forças eficientes), este sentido histórico, o qual, nós, os europeus, consideramos como especialidade nossa, é consequência daquela louca e fascinadora *semibarbárie* em que a mistura democrática de raças e classes submeteu a Europa; somente o século XIX reconheceu este sentido como o seu sexto sentido.

O passado, com todas as suas formas, com todos os seus modos de viver, com todas as suas culturas estratificadas, irradia-se confusamente em nossas almas modernas, e percorrendo nossos instintos todos os caminhos do passado, vimos a ser uma espécie de caos; mas, finalmente, educa-se o "espírito", como já dissemos, em seu proveito. Graças à nossa semibarbárie de corpo e de cupidez, temos acesso secreto a todas as partes como uma época nobre nunca possuiu, principalmente o acesso aos labirintos das culturas imperfeitas e a cada espécie de semibarbárie que sobre a terra existiram; e assim como a parte mais considerável da cultura humana até agora foi semibarbárie, assim o "sentido histórico" significa o sentido e o instinto de todas as coisas, com o qual ele se documenta agora como um sentido não aristocrático. Por exemplo, agora gostamos novamente de Homero; talvez para nós seja uma vantagem feliz gostar de Homero, do qual nem sequer eram capazes os homens de uma civilização aristocrática (como os enciclopedistas franceses com Saint-Evremond à frente e, por fim, Voltaire, que atiram à cara de Homero seu *esprit vaste*). O sim e o não cerrado e seu paladar, suas náuseas, facilmente provocáveis, sua reserva contra todo o estranho, seu temor diante do mau gosto e até da ansiedade viva, e, em geral, a aversão de toda civilização aristocrática e autossuficiente em confessar um novo desejo, uma interna deficiência e uma admiração do estranho: tudo isto é feito de mau humor e os predispõe contra as melhores coisas do mundo – se não lhe são próprias ou *poderiam* vir a sê-lo –, e nenhum sentido é menos compreensível a tais homens do que justamente o sentido histórico e a curiosidade humilde e plebeia. O mesmo sucede com Shakespeare, maravilhosa síntese do gosto hispano-mauro-saxônico, mas faria rir até morrer ou causaria raiva a um velho ateniense, amigo de Ésquilo; contudo, nós acolhemos precisamente esta mistura multicor, essa mistura do mais delicado, do mais grosseiro e artificial, e com certa secreta confiança e cordialidade nos deleitamos com o requintado desta arte reservada a nós somente, sem que nos indisponham os miasmas mefíticos da plebe inglesa, em meio das quais vive a arte shakespeariana, como quando nos achamos na "Chiaia" de Nápoles: onde nós, com todos os nossos sentidos, seguimos o nosso caminho maravilhados e voluntariosos por mais que pairem no ar as cloacas dos quarteirões plebeus. Nós, homens do sentido histórico, temos nossas virtudes, não há dúvida, somos desinteressados, modestos, valentes, abnegados, dedicados, agradecidos, pacientes, servidores: contudo não somos muito distintos no gosto. Confessemo-lo de uma vez por todas: aquilo que aos homens de sentido histórico não é mais difícil compreender, sentir, gostar, preferir, e que nos julgam quase hostis, é precisamente a perfeição, suprema maturidade de cada cultura e arte, o que é verdadeiramente aristocrático, nas obras e nos indivíduos, aquele momento de suprema indiferença, de autossatisfação, "alciônico", a frialdade áurea que são atributos de todas as coisas perfeitas. Talvez nossa grande virtude do sentido histórico seja uma antítese necessária do bom gosto, ou pelo menos do gosto melhor; e por isso talvez só sabemos reproduzir em nós aqueles raros momentos de suprema felicidade, de transfiguração da vida humana, como aqui e acolá brilham alguma vez, só por meio de vacilações e por necessidade; aqueles momentos milagrosos, nos quais uma grande força se deteve voluntariamente ante o desmedido, ante o infinito, e sentiu uma exuberância de gozo sublime em refrear-se subitamente, em imobilizar-se, em manter-se firme sobre um terreno vacilante. A *medida* é para nós estranha, confessemo-lo; o que nos instiga é o infinito, o desmesurado.

Semelhantes ao cavaleiro que corre e abandona as rédeas a um galope vertiginoso, assim os homens modernos, os semibárbaros, soltamos as rédeas ante o infinito, e sentimos nossa felicidade suprema ali onde estamos em maior *perigo*.

225

Hedonismo ou pessimismo, utilitarismo ou eudemonismo; todos estes modos de pensar que usam como *medida* o *gozo* ou a *dor*, quer dizer, pelas circunstâncias que acompanham e pelas condições secundárias são modos de pensar primitivos e ingênuos que o homem dotado de força criadora e de consciência artística olhará com ar de ironia e de compaixão. Compaixão de *vós*, sim, mas isto não é a vossa compaixão, a compaixão pela miséria social e pela sociedade, com seus enfermos, com seus aleijados, com seus viciosos e inúteis que nos cercam, menos ainda a compaixão por catervas de escravos murmuradores, oprimidos e sediciosos que aspiram ao domínio chamado por eles "liberdade". Nossa compaixão é mais elevada e olha mais longe: – vemos como o homem se empequenece, como vós o empequeneceis! Há momentos em que repelimos a vossa compaixão – onde achamos mais perigosa a vossa seriedade que qualquer leviandade.

Vós quereis, se for possível! – e não há nenhum for possível mais louco –, suprimir a dor. E nós? Parece justamente que desejamos elevar ainda mais e tê-la pior do que já foi. O bem-estar como o entendeis não é uma meta, parece-nos um fim! Significa para nós um estado que termina por tornar ridículo e desprezível o homem – que faz desejável o seu desaparecimento. Não sabeis que a escola da dor, da grande dor, é a única que permitiu ao homem subir a certas alturas? Aquela tensão da alma na desventura para a qual criais a força, seu sangue-frio ante a grande desgraça, seu talento e bravura que demonstram no suportar, no perseverar, no interpretar e no desfrutar as calamidades, tudo quanto então ganha a alma em profundidade, em segredo, em dissimulação, em talento, em astúcia, em grandeza, não o conseguiu sob a férula da grande dor? No homem se acham reunidos as criaturas e o Criador; no homem há a matéria, o incompleto, o supérfluo, a argila, a lama, o absurdo, o caos; mas também há o sopro que cria, que organiza, a dureza do martelo, a divindade do espectador e seu sétimo dia: – compreendeis agora o contraste? E que a vossa compaixão se refere à "criação do homem", aquilo que deve ser formado, quebrado, forjado, rasgado, marcado a fogo, queimado e purificado, aquele que necessariamente deve sofrer, necessariamente precisa sofrer? E nossa compaixão oposta, não compreendeis vós a quem se refere, quando ela luta contra a vossa compaixão, como o pior de todos os mimos e fraquezas? – "Então, compaixão contra compaixão?" É que, como já diremos, há problemas mais altos que os referentes ao gozo, à dor e à compaixão, e toda filosofia que se ocupa destes exclusivamente seria uma cândida infantilidade.

226

Nós imoralistas? O mundo que nos concerne; o mundo em que se teme e se ama; o mundo quase invisível e inaudível de ordem sutil, de obedecer sutil, o mundo do "*quase*" e de todo ponto de vista, escabroso, capcioso, pontilhado, bondoso está maravilhosamente defendido contra os espectadores néscios, contra a curiosidade confiante. Estamos enlaçados num impenetrável tecido de deveres, do qual não podemos sair, e somente por isto somos homens do "dever", também nós! Bem, é verdade que às vezes dançamos em meio de nossas cadeias e de nossas espadas; mas frequentemente, e não é menos verdade, cerramos os dentes e tornamo-nos impacientes a respeito da secreta dureza de nossa sorte; mas façamos o que quisermos, os imbecis e as aparências nos dirão: esses são os homens "sem obrigação" – temos contudo contra nós os imbecis e as aparências.

227

A honradez, supondo que seja a nossa virtude, da qual não nos possamos livrar, nós, espíritos livres, nela trabalharemos com toda malícia e com todo nosso amor e não nos cansemos de nos aperfeiçoar nessa nossa virtude, a única, ainda quando seu esplendor tivesse de nublar um dia como uma auréola dourada, azul e brincalhona de luz vespertina esta cultura decrépita e tenebrosa. E se algum dia nossa honradez cansasse e gemesse, estirasse os membros e nos achasse demasiado duros e quisesse sentir-se melhor, mais leve, mais tenra e acariciadora como um vício agradável, nós, os últimos estoicos, permaneceremos duros e dedicaremos todo o nosso desdém às coisas néscias e incertas, nosso *nitimur in vetitum*, nossa temeridade de aventureiros, nossa curiosidade aguerrida e viciosa de dominar o mundo, de aspirar a todos os impérios do futuro – e seguiremos em ajuda de nosso "Deus" com todos os nossos "demônios". É provável que por isso nos desprezem e nos confundam; mas que importa? Dirão: sua honradez é a sua diabrura, e nada mais! Que importa. Mas supondo que assim fosse, não foram os deuses até agora diabos batizados e canonizados?

E finalmente, que sabemos de nós mesmos? Como deve chamar-se o espírito que nos guia? "É questão de nome!" E quantos espíritos se albergam em nós? Sejamos cautelosos, ó espíritos livres! Para que nossa honradez não se torne em nossa vaidade, em nossa pompa, em nossa imbecilidade.

Toda virtude propende para a imbecilidade, toda imbecilidade para a virtude. "Estúpido até a santidade", dizem na Rússia. Cuidemos, pois, de não ser tão honrados que nos tornemos santos fastidiosos! A vida é demasiado breve para que devamos enfastiar-nos! Seria preciso crer na vida eterna, para...

228

Perdoar-me-ão ter dito e descoberto que todas as filosofias morais são fastidiosas e pertencem à família das Soníferas, e que nada fez mais mal à virtude, a meu ver, que a fastidiosidade de seus patrocinadores, mas com isto não pretendo desconhecer sua geral utilidade. O que importa é que o menor número possível de indivíduos medite acerca da moral, e por isso mesmo importa muito que a moral se torne interessante algum dia.

– Não há cuidado, porém. As coisas são como sempre foram; não vejo na Europa ninguém a que se lhe tenha ocorrido que o estudo e a meditação da moral possa ser perigoso, comprometedor, corruptor e funesto. Veja-se, por exemplo, os incansáveis e inevitáveis utilitários ingleses, que avançam e recuam, pisando e repisando os rastos de Bentham (em Homero há uma semelhança mais expressiva), assim como este pisava os rastos do venerável Helvécio. Não era um homem perigoso este Helvécio, *ce seenateur Poccocurante,* para dizer com Galliani. Nenhuma repetição e renovação sutil de uma ideia antiga, nem sequer uma verdadeira história do que se pensava antigamente; é em conjunto uma literatura inabordável, se não se souber condimentá-la com um pouco de malícia. Nesses moralistas o que se deve ler é necessário fazê-lo com independência de espírito porque neles se infiltrou o antigo vício inglês que se chama *cant,* e que é hipocrisia moral, embora desta vez com máscara científica. Em todos eles se encontrará certa secreta mania de apagar os remorsos que seguem inerentes a uma raça de antigos puritanos no estudo científico e moral. Porventura não é moralista o *antagonista* do puritano, isto é, um pensador que julga a moral como coisa duvidosa e a interroga como um problema? Não será talvez imoral o moralizar? Em suma, pretendem que a moralidade inglesa tenha a sua razão: porque dizem que com isso se faz um grande serviço; a quem? Ao "bem-geral", à "felicidade da maioria?" Não. À Inglaterra! Esforçam-se por demonstrar que o aspirar à felicidade inglesa, quer dizer, ao *confort* e à *fashion* (e no mais alto expoente, uma cadeira do Parlamento), é o verdadeiro caminho para a virtude, e que todas as virtudes até hoje conhecidas no mundo consistiram em tal desejo. Nenhum destes animais de rebanho, pesados e de consciência intranquila (dissimuladores do egoísmo sob a máscara da felicidade comum), querem entender e cheira que o bem-estar comum não é um ideal, uma meta, um conceito claramente formulado, mas somente um vomitório, e o que serve a uns de modo algum poderá ser justo para outros e que a moral universal só é boa para dar asco aos homens superiores, como também uma escala de valores entre homem e homem e portanto entre moral e moral. São indivíduos modestos e medíocres todos estes utilitários ingleses, bastante fastidiosos, e não podemos pensar elevadamente em utilidade. Deveríamos animá-lo como foi experimentado com os seguintes versos:

"Eu vos saúdo, ó valentes carreteiros! Quanto mais vagarosos, melhor! Cada vez mais duros os joelhos e a cabeça, sem entusiasmo nem alegria, irremediavelmente medíocres, *sans génie, sans esprit*".

229

Naquelas épocas tardias, orgulhosas de seu humanismo, permanece um medo supersticioso da "besta selvagem e cruel" (de cuja destruição se jactam precisamente essas épocas mais humanas), que até as verdades mais palpáveis permanecem por séculos e séculos comumente ignoradas, porque se teme que possam devolver a vida à fera felizmente morta. Talvez seja um atrevimento meu deixar escapar semelhante verdade: outros talvez a tomarão por conta e lhe farão beber tanto "leite de piedosas virtudes" que a deixem tranquila, muda, esquecida em seu velho canto. Mister é começar a pensar de diversa maneira e abrir bem os olhos a respeito da crueldade; é mister armar-se de impaciência para não tolerar mais que tais erros insolentes e imodestos não venham a passear com atrevimento, como por exemplo foram alimentados a propósito da tragédia dos filósofos antigos e modernos. Quase tudo o que chamamos de "cultura superior" baseia-se na espiritualização e aprofundamento da crueldade; esta é a minha tese: a fera não morreu, vive, prospera, só que foi divinizada.

O pormenor doloroso que constitui a essência da tragédia é apenas crueldade; tudo o que há de sublime na compaixão trágica, assim como nos supremos e delicadíssimos calafrios da alta metafísica, obtém sua mansidão da crueldade com que vai misturada. Todo o gozo que saboreiam os romanos na arena do circo, e os cristãos nos arroubos da cruz, e os espanhóis ante as fogueiras ou as touradas, e os japoneses de hoje quando escutam amontoados a tragédia, e os operários dos subúrbios parisienses que sentem a nostalgia de revoluções sangrentas, e a wagneriana que deixa escapar de si a vontade, "Tristão e Isolda", o que todos eles gozam e procuram embeber em si mesmos, com voluptuosidade misteriosa, são os feitiços mágicos da grande Circe, "Crueldade".

É necessário emancipar-se de uma vez daquela néscia psicologia de outrora que ensinava consistir a crueldade em gozar-se a visão dos sofrimentos dos outros; há tanta superabundância de gozo nos sofrimentos próprios, no fazer a si mesmo sofrer – quando um homem chegou à mortificação no sentido religioso, ou à mutilação do próprio corpo, como os fenícios e os ascetas, ou à renúncia dos sentidos, à contribuição, aos espasmos dos puritanos, à vivissecção da consciência, ao sacrifício do entendimento de Pascal, quem o persuade e o estimula? Em sua crueldade, é aquele espasmo voluptuoso da crueldade exercida contra si mesmo. Finalmente, pode observar-se que até o sábio, o intuitivo, quando obriga o seu espírito a conhecer contrariamente as próprias inclinações e os desejos de seu coração, quando lhe obriga a negar aquilo até que desejava afirmar, amar e adorar, então procede como artista e transfigurador da crueldade: todo aprofundar as coisas é por si mesmo uma violência, um querer fazer mal, um querer fundamental do espírito, o qual tende incessantemente às aparências e à superfície: já nesta vontade de conhecer existe uma gota de crueldade!

230

Talvez sem outras explicações não se compreenderá o que eu entendo por "vontade fundamental do espírito". Permita-me uma explicação:

Aquela coisa imperiosa, que o vulgar chama "espírito", quer ser senhora de tudo o que acha em si e em torno de si e quer sentir-se como senhora: possui a vontade da multiplicidade para a simplicidade, uma vontade estritamente dominadora, imperiosa, senhoril. Suas necessidades e faculdades aí são as mesmas que os fisiologistas assinalam a todo ser que vive, cresce e se multiplica. A força do espírito para apropriar elementos estranhos revela-se numa poderosa inclinação em assemelhar o novo ao antigo, o múltiplo ao simples, a ignorar ou eliminar o absolutamente contraditório assim como arbitrariamente faz ressaltar, torna proeminente e falsifica para si mesmo traços e linhas em elementos estranhos, em todo pedaço "do mundo exterior". Seu objeto é, pois, a incorporação de novas "experiências, intercalação de coisas novas em categorias velhas, quer dizer, cresce, ou melhor, tem o *sentimento* do crescer, o sentimento da força aumentada. Ajuda muito a esta vontade, embora pareça oposto, um impulso do espírito que se manifesta por uma resolução súbita de querer a ignorância, por uma reclusão arbitrária, por um fechar de todas as janelas, por uma interna negação de tal ou qual coisa, por uma proibição de deixar sair o conteúdo, por uma atitude de defesa contra muitas coisas dignas de serem sabidas, por certa afeição à obscuridade, aos horizontes estreitos, à afirmação, ao aplauso da ignorância: tudo isto é necessário ao espírito, segundo seja o grau de sua potência assimiladora, de sua "força digestiva", porque, para falar figuradamente, na verdade o espírito tem grande semelhança com o estômago.

A este capítulo pertence a vontade ocasional que o espírito mostra de deixar-se enganar, talvez com a ideia forçada de que as coisas estão de um jeito e não de outro. Somente assim e assim mesmo, deixa-se passar uma vontade na incerteza e no equívoco, um íntimo sentimento de júbilo pela desejada estreiteza e secreto de um ângulo pelo que está muito vizinho, pelo "proscênio", por todo ampliado, por todo diminuído, deslocado, embelezado pela satisfação e pela arbitrariedade de todas estas manifestações da força. Finalmente, também pertence aquela voluntariedade duvidosa de enganar os

outros espíritos, de fingir-se ante eles, aquela

pressão contínua e impulso de uma força criadora, plasmadora e modificadora: o espírito goza aí a multiplicidade de suas máscaras, de sua astúcia e de sua segurança: precisamente suas artes proteicas são as que melhor o defendem e o escondem!

Contra esta vontade das aparências, da significação, da máscara, do manto, em suma, do superficial (cada superfície é um manto). A cada uma dessas vontades tem efeito a inclinação sublime do conhecedor que toma ou quer tomar as coisas profundamente, de modo múltiplo, radicalmente: é uma espécie de crueldade na consciência e do gosto intelectual que todo corajoso pensador reconhecerá em si mesmo, sempre que tenha endurecido e aguçado por muito tempo os olhos e se tenha sujeitado à disciplina rigorosa e às palavras severas.

Ele dirá: "Há algo cruel na inclinação de meu espírito". Sim, mas os virtuosos e os amáveis que busquem evasivas. Realmente, imputar ou louvar em nós alguma outra coisa, por exemplo, uma honradez exuberante; a nós, espíritos livres! Muito livres! Assim algum dia nos julgará a fama! Entretanto seremos os últimos em adornar-nos com tais grinaldas morais: todos os nossos trabalhos até agora nos provocam um fastio para tais gostos e para suas pompas alegres! São palavras belas, resplandecentes, ressonantes, aparatosas: honradez, amor da verdade, amor da sabedoria, sacrifício pelo conhecimento, heroísmo do verdadeiro. Há algo nisso que nos faz inflar de orgulho.

Nós, marmotas solitárias, no segredo de nossa consciência de ermitãos, nos convencemos de que ainda esta pompa de palavras pertence ao antigo aparato de mentiras, pechibesque e enfeites da inconsciência vaidade humana, e que ainda sob estas lisonjeiras cores vive e predomina o terrível texto fundamental *homo natura.*

Restituir o homem à Natureza, dominar sobre as muitas interpretações vãs e sentimentais e enigmáticas que até hoje cobriram com um verniz de brilhantes cores o eterno texto fundamental *homo natura,* tornar possível que de hoje em diante o homem se apresente ao homem endurecido na disciplina da ciência, da mesma maneira como hoje apresenta a outra Natureza, com olhos impertérritos de Édipo, com as orelhas fechadas de Ulisses, surdo às lisonjas de todos os caçadores de passarinhos metafísicos que não cessam de cantar-lhe: "Tu és mais! Tu és mais elevado! Tu és de outra origem!" Seja isso uma *tarefa* estranha e louca, mas afinal é uma tarefa, quem havia de negá-la! E por que escolhemos esta louca tarefa? Ou melhor, modificando a pergunta: "Por que vais de qualquer forma em busca do conhecimento?" Todos nos perguntam. E nós, colocados nessa situação, nós, que mil vezes fizemos a mesma pergunta, não achamos uma resposta melhor que essa...

231

O aprender nos transforma da mesma forma que o alimento, cujo efeito não é somente a conservação da vida, como o diz muito bem o fisiólogo.

Mas no fundo de nós mesmos, ali no fundo, há seguramente algo que não se pode ensinar, um *fatum* espiritual granítico, com resoluções e respostas francas a perguntas anteriormente escolhidas.

Em todo o problema cardial fala um imutável "este sou eu"; por exemplo, acerca do varão e da mulher, um pensador não pode mudar o curso de suas ideias, mas unicamente estudá-las a fundo, isto é, descobrir as últimas consequências do que nele existe quanto a este ponto. Descobrem-se de quando em quando algumas soluções destes problemas, nas quais cremos fortemente e as chamamos convicções. Porém, mais tarde, vemos que estas convicções e soluções são apenas traços que nos conduzem ao conhecimento de nós mesmos, pedras miliárias no caminho da solução do problema que somos nós, da grande tolice que nós somos, para o nosso *fatum* espiritual, aquilo que é fundamental em nós e que não se pode ensinar.

Graças a estes rasgados cumprimentos que a mim mesmo faço, se me dará licença para dizer algumas verdades acerca da mulher *in se*; tanto mais que estas verdades, daqui por diante, são conhecidas como *minhas* verdades.

232

A mulher quer fazer-se independente, e, para começar, quer esclarecer os homens sobre a *mulher* em si, que é um dos mais odiosos progressos de *embrutecimento* geral da Europa. Que coisas tão feias sairão à luz dessas néscias experiências do conhecimento feminino em que a mulher quer desnudar-se! Profundos motivos tem a mulher para ser pudorosa: há nela tanta superficialidade pedante, tanta superabundância de coisas aprendidas na escola, de coisas pequenas, presunçosas, desenfreadas e imodestas!

Basta considerar as relações da mulher com as crianças. Tanta coisa que hoje só foram freadas de medo do homem! Ai de nós se o eterno fastidioso da mulher, de que ela é tão rica, pudesse sobressair!

Se a mulher tivesse de esquecer sua modéstia e suas artes, que são a graça, o amor, o brincar, o dissipar os cuidados, o tornar agradável a vida, o ensinar a não tomá-la nunca a sério e se tivesse de desamparar sua filha manha de despertar apetites deleitosos! Ouve-se um clamor de vozes femininas que, por Santo Aristófanes! Dão medo; ouvem-se ameaças de uma precisão médica acerca do que a mulher exige e exigirá do homem.

Não é coisa de mau gosto o fato de ela se tornar sábia? Até hoje, graças a Deus, o explicar as coisas era ofício dos homens, era um dote dos varões, e assim tudo ficava "em família". Ademais, considerando o que as mulheres escrevem acerca da "mulher', é lícito duvidar se as mulheres querem explicar a si mesmas, ou se podem querê-lo. Ou talvez com isto vá a mulher em busca de um novo adorno (porque parece que o adorno é parte integrante do "eterno feminino"). Em tal caso, quer inspirar medo de si mesma, e, com isto, talvez conquistar o poder. Mas a verdade... não a quer; que importa à mulher a verdade! Desde que o mundo é mundo, para a mulher não há coisa mais estranha, mais antipática e inimiga que a verdade; sua grande arte consiste na mentira; o que mais lhe preocupa é a aparência, a beleza. Confessemo-lo, nós homens; nós amamos precisamente esta arte, este instinto da mulher; como somos tão graves e pesados, agrada-nos a companhia de uns seres entre cujos dedos, entre cujos olhares, entre cujas ternas loucuras, toda a nossa seriedade, a nossa gravidade e a nossa profundidade parecem uma grande insensatez. E finalmente, pergunto eu: Houve alguma vez uma mulher que concedesse profundidade a uma cabeça de mulher, justiça a um coração feminino? E em tese geral, não é certo que quem desconfiou da mulher foram as próprias mulheres?

Nós, de nenhuma maneira. Os homens, desejamos que a mulher não comprometa seu futuro com as luzes do progresso. Também a Igreja, previdente e compassiva, decretou: *Mulier taceat in ecclesia.* Com o mesmo piedoso fim, Napoleão deu a entender à loquaz Madame de Staël, *Mulier taceat in policis,* e eu creio ser um bom amigo das mulheres quando lhes aconselho: *Mulier taceat de muliere.*

233

É indício de corrupção dos instintos – além de revelar mau gosto – quando as mulheres apelam à senhora Rolland ou à Madame de Staël ou a Monsieur George Sand, como se isto provasse algo *em favor* da "mulher em si". Entre os homens, elas foram três grandes e *cômicas* mulheres e nada mais, e isto é precisamente um involuntário *argumento* contra a emancipação e autonomia da mulher.

234

A estupidez na cozinha! A mulher cozinheira! O horrível não senso com que se prevê a alimentação da família e do amo da casa!

A mulher não compreende o que *significa* alimentação e quer ser cozinheira! Se a mulher fosse uma criatura pensante, teria descoberto durante os milhares e milhares de anos, em seu "ofício culinário", os grandes fenômenos fisiológicos, e teria sabido monopolizar a arte de curar!

Por culpa de tão péssimas cozinheiras, pela falta absoluta de razão na cozinha, foi impedido e prejudicado o desenvolvimento do homem por mais tempo e até tornado pior: hoje melhorou pouca coisa.

Um sermão às alunas dos cursos superiores.

235

Há perífrases e lances de espírito, há sentenças, pequenos conjuntos de palavras, em que se cristaliza subitamente toda uma civilização, toda uma sociedade. Entre elas a incidental frase de Madame de Lambert a seu filho: "*Mon ami, ne vous permetez jamais que de folies, que vous fairont grand plaisir*" – as palavras mais judiciosas e maternais que já foram dirigidas a um filho.

236

O que Dante e Goethe acreditaram sobre a mulher, aquele quando cantou "*ella guardava suso ed io in lei*", e este quando o interpretou "o eterno feminino que nos atrai" – não duvido que toda mulher nobre lutará contra essa fé, pois ela acredita também no eterno masculino...

237

Sete ditados da mulher:

Quanto mais passa o tempo, mais um homem se aproxima de joelho até nós.

A idade, ai, e a ciência dão força à débil virtude.

Vestido negro e discrição vestem de talento a mulher.

A quem devo a felicidade? A Deus – e à minha modista.

Quando jovem: uma caverna com porta de flores; quando velha, dela sai um dragão.

Nome ilustre, belo talhe, e ainda homem; oh! Se fosse meu!

Poucas palavras e muito sentido, armadilha para as burrinhas.

237a

As mulheres foram até hoje tratadas pelos homens como passarinhos que de qualquer árvore voaram perdidos; como algo delicado, frágil, bravio, estranho, manso e cheio de alma, mas sempre algo que é preciso encerrar para que não fuja.

238

Tocar no problema fundamental da mulher e do homem, negar o profundo antagonismo entre o homem e a mulher e a necessidade de uma tensão constantemente hostil entre os dois sexos; sonhar com iguais direitos, com igual educação, com iguais aspirações e deveres, é o indício típico de uma mente superficial, e o pensador, que tão superficial se tem mostrado neste escopo, superficial também no instinto, deve ser considerado como suspeito e denunciado: é provável que não possa aprofundar-se muito sobre as questões fundamentais da vida, incluindo a questão da vida futura, pois terá uma visão "estreita" para tal. Pelo contrário, um homem profundo em seu espírito e em seus apetites, ainda quando possua aquela profundidade da benevolência que é capaz de severidade e dureza e é por esta mudada facilmente, só pensará sobre a mulher como pensam os orientais: que é uma propriedade que ele tem direito de pôr sob chaves; que é uma coisa predestinada a servi-lo, alcança sua própria perfeição, apoiando-se para isso na imensa prudência asiática, na superioridade dos instintos asiáticos, como antigamente o fizeram os gregos, os melhores discípulos da Ásia, os quais, como se sabe, desde Homero a Péricles, segundo cresciam em cultura e força, assim ia crescendo em rigor para com a mulher, quer dizer, que se orientalizavam cada vez mais. E isto foi necessário, lógica e humanamente necessário. Medite-se um pouco sobre o assunto.

239

Em nenhuma época o sexo fraco foi tratado com tantas atenções da parte dos homens como agora: isto faz parte da tendência e de um gosto fundamentalmente democráticos como também da falta de respeito ante a idade: Por que nos maravilha se há abusos em tais atenções? Agora, se aprendessem a exigir, seria ofensivo até o tributo de amor; preferem a concorrência e, até, a luta; em suma, a mulher vai perdendo seu pudor. E acrescentamos: também vai perdendo o bom gosto. Já não teme o homem; mas "a mulher que perde o temor" perde seus mais essenciais instintos. Que a mulher se arrisque, quando descuida do que faz medo no homem – ou mais categoricamente, quando impede o homem de ser homem – é tudo isso aceitável e bastante compreensível; o que é difícil de compreender é que isto seja a causa da degeneração da mulher.

Que a mulher hoje degenera, não nos enganemos! Onde o espírito industrial obteve a supremacia sobre o espírito militar e aristocrático, a mulher tende a conquistar a independência econômica e legal de um empregado do comércio: a "mulher como empregada" que está no umbral da nova sociedade em formação. Enquanto toma posse de novos direitos e quer ser "dona" e escreve em sua bandeira e bandeirinhas "a emancipação da mulher" sobrevém o contrário: a mulher retrocede.

Desde a Revolução para cá, foi a mulher retrógrada e diminui sua influência à medida que aumentaram seus direitos e exigências: a "emancipação da mulher", enquanto exigida, levada para a frente pelas próprias mulheres, e não por cabeças duras masculinas, revela-se como um sintoma curioso da progressiva debilitação e embotamento dos instintos essencialmente femininos. Há em tal movimento uma estupidez, uma estupidez quase masculina, da qual devia envergonhar-se profundamente toda mulher sensata.

Perder o faro de que modo pode conseguir a vitória; descuidar-se do exercício da arte das armas que lhe é própria; relaxar-se ante o homem, chegando talvez até o "livro", onde antigamente havia uma educação severa e uma fina e astuciosa humildade; demolir a fé do homem que tem um ideal fundamental diverso do seu e oculto na mulher em algo necessário do "eterno feminino", com a coragem virtuosa: persuadir o homem por meio de conversas que a mulher deve ser mantida, cuidada, protegida e amimada como um animal doméstico, débil, bravio e algumas vezes agradável; o acumular desarrazoado e furioso de tudo aquilo que é escravo e súdito, que a colocação da mulher na ordem que a sociedade teve até então e ainda o tem (como se a escravidão fosse um contra-argumento e não uma condição essencial de cada cultura mais elevada, uma elevação da cultura) – o que significa tudo isso senão um cair aos pedaços dos instintos femininos, uma "desfeminização"?

E que haja tantos amigos e corruptores imbecis da mulher entre os asnos doutos do gênero masculino, que aconselhem a mulher que se desfeminize e imite todas as insensatezes que vão destruindo a virilidade europeia, e que querem rebaixar a mulher até o nível da cultura geral da leitura de jornais e da politiquice!

E querem fazer delas espíritos livres, literatas, como se uma mulher irreligiosa não fosse, ainda para o homem ateu, algo repugnante e ridículo.

E corrompem seus nervos com a música mais enfermiça e perigosa (com a música alemã modernissima), e tornam-na cada dia mais histéricas e menos aptas para a sua primeira e grande missão, que é a de trazer ao mundo filhos sãos! Em geral querem "civilizá-la", ou, como dizem, tornar forte o sexo frágil por meio da cultura, como se a história não nos ensinasse intensivamente que a civilização equivale à, debilitamente, desorganização e deterioração da força de vontade, e que as mulheres mais poderosas e influentes do mundo (talvez até a mãe de Napoleão) deveram sua influência e seu poder precisamente à força de sua vontade, e não aos professores de escola.

Aquilo que na mulher nos inspira respeito e alguma vez temor é sua natureza, a qual é "muito mais natural" que a do homem; sua mobilidade, sua agilidade de fera, a unha de tigre que esconde sob a luva perfumada, seu egoísmo ingênuo, sua inércia para a educação, o inconcebível, desmesurado e extravagante de seus desejos e de suas virtudes... o que nos inspira piedade nesse gato perigoso, que é a "mulher", é o estar mais sujeito que nós ao sofrimento, o ser mais sensível, mais necessitado de afeto, mais acessível às desilusões que qualquer outro animal.

Temor e compaixão: eis aqui dois sentimentos que até agora experimentava o homem ante a mulher, sempre com um pé na tragédia, que despedaça enquanto entusiasma. Como? Isso agora tem um fim? E deverá trabalhar-se pelo desencantamento da mulher? E fazer-se dela o mais fastidioso de todos os seres? Ó Europa, Europa!

Conhecemos o animal cornudo que preferiste a todos os outros e ameaça ser-te perigoso!

A tua velha fábula ainda poderá tornar-se história; a imbecilidade desmedida ainda poderá apossar-se de ti e arrastar-te consigo!

Mas com a diferença de que esta imbecilidade não serviria de máscara a um Deus, mas a uma ideia, a uma ideia moderna.

OITAVA PARTE
Povos e pátrias

240

Ouvi como se fosse a primeira vez a protofonia de "Os Mestres cantores" de Wagner; é uma música estupenda, mas sobrecarregada, tardia e grave, que para ser compreendida necessita ainda de dois séculos de música: honra, estou certo, aos alemães tal cálculo. Quantas forças, quantas estações e quantos climas estão ali misturados! Assim esta música tem para nós um ar antigo, estranho, áspero e prematuro; nela há originalidade e convencionalismo, delicadeza, ironia e rude grosseria, ardor e espírito, ao mesmo tempo a pele amarelecida e flácida dos frutos tardiamente amadurecidos. É uma corrente que passa ampla e majestosa, e de repente há um momento de trégua inexplicável, uma lacuna entre a causa e o efeito, uma pressão que nos faz sonhar quase como um pesadelo; mas eis aqui que de novo a corrente amplia e passa conduzindo aquela múltipla sensação agradável de felicidade antiga e nova, peculiar ao próprio artista, cuja verdade não quer esconder, de felicidade consciente e surpresa na maestria de seus meios, de meios artificiais, novos e ainda não experimentados, como nos parece expor. Em resumo, não há ali nenhuma beleza, nada de meridional, nada de esplendoroso céu do Sul, nada de graça, nada de dança, apenas uma vontade lógica: até uma certa grosseria que é sublinhada como se o artista nos quisesse dizer: ela faz parte da minha intenção, um vestido usado, algo voluntariamente bárbaro e solene, um esvoaçar de custosas rendas doutas e veneráveis; algo de alemão, quer dizer, no sentido geral e melhor da palavra, de informe, de inexausto; certo predomínio superabundante da alma germânica que não teme ocultar-se atrás dos "*raffinemente*" da decadência – talvez ali se sente melhor; uma verdadeira característica da alma germânica, tão jovem e tão decrépita, tão fatigada e tão rica de futuro. Esta música expressa perfeitamente o que eu sinto acerca dos germânicos; são de ontem e de amanhã, não têm ainda um presente.

241

Nós, os bons europeus, também temos nossas horas de patriotismo cordial, uma volta e recaída nos antigos amores e nas antigas angústias, horas de ebulição nacional, de manias patrióticas e de toda espécie de sentimentalismos antiquados.

Inteligências menos rápidas que as nossas, para digerir o que nós digerimos em poucas horas, precisam de mais tempo, empregariam um ano, muitos anos, a metade da vida, segundo sua força digestiva e sua capacidade de "transformar a matéria". Imagino raças obtusas e vacilantes, que em nossa Europa apressada necessitam meio século para superar esses acessos atávicos de patrimonia e de apego ao chão em que nasceram e para voltar novamente à razão, quero dizer ao "bom europeísmo". E enquanto divago acerca dessa possibilidade, acontece ser eu testemunha de um colóquio entre dois velhos "patriotas"; segundo me parece ambos surdos, por isso discorriam em voz muito alta:

– Este sabe tanto de filosofia como um camponês ou um estudante e espadachim; é ainda um inocente, mas que importa! Estamos na época das massas e é adorado tudo o que tem massa. E o mesmo *in politicis*. Um estadista que saiba levantar ante eles uma nova torre de Babel, um conglomerado monstruoso de império e de poder, é para eles um "grande homem"; que importa que nós, mais

prudentes e mais cautelosos, não queiramos

abdicar da antiga crença de que somente a grandeza de uma ideia pode tornar grande um fato concreto? E se supomos que um estadista obriga o seu povo a levar adiante a grande política, para o qual não há em sua natureza nenhuma preparação nem aptidão, de tal modo que se veja obrigado a sacrificar a mediocridades suas antigas e seguras virtudes, que tal estadista obrigue a seu povo a "politicar" tendo outras coisas que fazer, e que no fundo sente repugnância pelas inquietações, vazio e discórdias diabólicas que caracterizam os povos "politiqueiros"; se supomos que tal estadista aguça assim as paixões adormecidas e a cupidez de seu povo e mostra-lhe que é um pecado ficar à parte e retraído e lhe forme um espírito de culpa de seu estrangeirismo e da falta de finalidade secreta e torne isso um pecado e lhe deprecie as suas inclinações do coração, terminando por inventar sua consciência estreita, o seu espírito, o seu "gosto nacional" - como! Um tal estadista que levasse seu povo no futuro, se futuro tiver, a penar, seria um grande estadista?

– Certamente, respondeu-lhe o outro patriota impetuosamente: Do contrário ele não poderia tê-lo feito. Era talvez uma loucura querer tal coisa? Mas talvez tudo quanto é grande não passe em suma de uma simples loucura!

– Abuso de palavras! – gritou o contendor. – Forte, forte, forte e louco! Não grande, porém!

Os dois velhos estavam apaixonados quando gritaram tais verdades um na cara do outro. Eu, porém, na minha opinião e neutralidade, penso que, em breve, sobre este forte, alguém mais forte vencerá; e também que para o baixo nivelamento espiritual de um povo há alguma compensação, isto é, através do rebaixamento de um outro.

242

Civilização, humanização, progresso, eis aqui o título em que consiste a distinção do europeu; como fórmula política, chama-se movimento democrático europeu; atrás do cenário moral ou político a que se referem tais formas, cumpre-se um imenso processo "fisiológico" que se desenvolve, uma crescente assimilação dos europeus, uma nivelação de todas as condições, raças, ligadas entre si por meio de influências climáticas e castas, uma emancipação de cada *milieu* determinado, que talvez quis permanecer impresso durante séculos no corpo e na alma – isto é, o progressivo advento de homens supernacionais e nômades, os quais possuam em máximo grau uma qualidade típica: a arte da adaptação. Este processo do europeu em formação, cuja velocidade pode retardar-se por grandes recaídas no tempo, mas que precisamente por isso ganhará em força e em profundidade – pertence a este capítulo a *Sturm und Drang* do sentimento nacional, do mesmo modo o anarquismo que começa agora a subir – terá provavelmente resultados que seus admiradores e fautores, os apóstolos das ideias modernas, nem sequer imaginam. As mesmas condições novas que servirão para igualar e mediocrizar o homem – um homem de rebanho, útil, trabalhador, capaz de muitas coisas – serão também aptas para formar indivíduos excepcionais, da espécie mais perigosa e mais sugestiva. Enquanto, pois, aquela força de adaptação que experimenta sempre condições de mutação e inicia um novo trabalho em cada geração e realiza sua obra quase em cada decênio, não torna possível a potencialidade do tipo; enquanto a impressão coletiva dos tais europeus futuros tenham um futuro, seja o de um exame de trabalhadores loquazes, maleáveis, carentes de vontade, necessitados de amos como do pão nosso de cada dia; enquanto a democratização da Europa tenda para a formação de um tipo preparado do modo mais sutil para a servidão, será possível que, em casos raros e excepcionais, saia um homem mais forte e pujante do que tem sido até agora graças à falta de preconceito de sua educação imparcial, sua multiplicidade de exercício, sua arte de dissimulação. E eu me atreveria a afirmar que a democratização da Europa é uma preparação involuntária do terreno para os tiranos, entendido o termo em todos os sentidos sem exceptuar os mais espirituais.

243

Vejo com prazer que o nosso sol se aproxima celeremente da constelação de Hércules, e espero que também o homem deste planeta imite o Sol.

E nós à frente, ó bons europeus!

244

Houve um tempo que costumávamos honrosamente chamar de profundo os alemães. Agora, quando o tipo germânico mais exuberante de êxito deplora a falta da cortante energia prussiana, quase é patriótico duvidar se aquele louvor seria um erro: Basta! A profundidade germânica talvez seja um mal, do qual esperamos ver-nos livres. Provemos, pois, modificar nossas ideias acerca desta profundidade germânica, para a qual nos basta uma pequena vivissecção da alma germânica. Esta alma é antes de tudo complexa, de origem múltipla; é mais um agregado e uma superposição de almas que uma verdadeira construção. Isto procede da origem. Um alemão, que tivesse audácia de afirmar "duas almas se abrigam no meu peito", faltaria grandemente à verdade, porque esqueceria muitas almas. Sendo, pois, uma mistura imensa e um caldeamento de raças, na qual preponderam os elementos precários; sendo um império do meio, os alemães são os entes mais incompreensíveis, mais vastos, mais contraditórios, mais enigmáticos, mais imponderáveis, mais assombrosos do que outros povos; subtraem-se a toda definição e precisamente por isso desesperam os franceses. Com efeito, é característico dos alemães nunca acabar a perguntar: O que é alemão? Kotzbue conhecia muito bem os seus alemães; "nós somos conhecidos!" – exclamavam eles.

Mas também George Sand afirmava conhecê-los. Johann Paul Richter sabia o que dizia quando se declarou contrário às adulações e exagerações patrióticas e mentirosas de Fichte; mas é de presumir que Goethe pensaria diferentemente de Richter sobre os alemães, por mais que desse razão à opinião de Fichte.

Que pensou Goethe dos alemães? Nunca se expressou claramente acerca de muitas coisas que o rodeavam e durante a vida soube permanecer silencioso – provavelmente tinha motivos para tal.

O que sabemos é que não lhe agradavam muito as guerras de independência, como tampouco a Revolução Francesa. O acontecimento que lhe fez mudar todas as ideias acerca do seu "Fausto", e propriamente do problema "homem", foi o aparecimento de Napoleão. Conservam-se palavras de Goethe nas quais, como se ele viesse de outro país, nega com dura impaciência tudo quanto julgavam os alemães orgulhosamente possuir: a célebre alma germânica, a *Gemuth,* ele define uma vez como: indulgência para com as debilidades dos outros e para com as próprias. Não tinha razão? É característico dos alemães que rara vez se erra quando são julgados.

A alma alemã tem em suas galerias amplas e estreitas, cavernas, esconderijos secretos: sua desordem tem algo de misterioso que atrai; o alemão conhece muito bem os caminhos tortuosos que levam ao caos. E como toda coisa ama o seu semelhante, o alemão gosta do que é pouco claro, do que está em vias de formação, do que é crepuscular, úmido, nublado. Acha profundidade no incerto, no informe, no que se está formando, desenvolvendo, crescendo.

O alemão em si não existe, ele é um vir a ser, ele se desenvolve.

Por isso a "evolução" é uma descoberta propriamente alemã e um lance no reino das fórmulas filosóficas, uma ideia *mater* que graças à aliança entre a cerveja e a música alemã trabalha para germanizar toda a Europa. Os estrangeiros detêm-se maravilhadamente encantados ante os problemas que apresenta a natureza contraditória da alma alemã (problemas sistematizados por Hegel e postos em música por Richard Wagner).

"Bonachões" e "pérfido"; este "pendant", este contrassentido, absurdo em outros povos, está muito justificado na Alemanha; basta viver algum tempo entre os suábios. A pesadez do alemão suábio, "sua insipidez" na sociedade, combina-se maravilhosamente com um interno acrobatismo, com uma grande ousadia, que já atemorizou todos os deuses. Para pôr à mostra *ad oculos* a alma teutônica, basta observar o gosto, a arte e os costumes da Alemanha. Que relaxamento quanto ao bom gosto! Que mistura de coisas nobres e vulgares! Que desordenada, embora bem provida, a dispensa daquela alma! O alemão arrasta a sua alma como todos os acontecimentos da sua vida, digere-os mal, nunca conclui a sua digestão. A profundidade alemã é apenas uma digestão difícil e lenta. E da mesma forma que todos os doentes crônicos e todos os dispépticos amam a comodidade, assim o alemão gosta da "sinceridade", da "honradez"; como é cômodo ser sincero e reto!

Talvez hoje o disfarce mais engenhoso e mais perigoso que o alemão conhece muito, esse confiar, esse servir que revela as castas da honradez alemã: esta é sua verdadeira arte mefistofélica; com ela "ainda pode ir longe". O alemão é relaxado, olha então com seus olhos azuis, fiéis, vazios e alemães, e o estrangeiro o confunde quando ele está com seu pijama. – Quero dizer: a profundidade alemã poderá ser o que queira – aqui entre nós me será lícito rir dela – e faremos bem em conservar as aparências e o bom-nome, também futuramente honrar e não vender nossa velha fama como povo profundo pelo preço barato da energia prussiana contra a ironia e a areia berlinense[4].

Um povo procede muito sagazmente se se apresenta e se faz passar por profundo, inábil, bonachão; talvez nisto consista a sua profundidade! Em resumo: convém honrar o nome; por alguma coisa se chama este povo *"teusche"* "Volk", tedesco, "Tausche Volk", povo que engana[5].

245

O bom tempo desapareceu; com Mozart cessou o último canto.

Quão felizes somos nós, a quem fala

ainda seu rococó e a quem agrada ainda sua

"boa sociedade", seu terno sentimentalismo, seu amor infantil pela filigrana chinesa, a cortesia de seu coração, seu ardente desejo do terno, do enamorado, da dança, cheio de lágrimas, sua fé no céu meridional!

Dia chegará em que tudo isso terminará; mas está fora de dúvida que mais cedo cessaremos de compreender Beethoven, que não foi o último eco de uma época e de um estilo transitório, e não já, como Mozart, o eco de um gosto europeu que durou séculos. Beethoven é um incidente entre uma alma velha e murcha, entre uma alma frágil e quebradiça e uma alma continuamente superjuvenil; sua música está banhada pela dupla luz crepuscular de perenes pronunciamentos e de imensas e exuberantes esperanças - a mesma luz em que se banhava a Europa quando sonhou com Rousseau, quando dançou em torno da árvore da liberdade e da Revolução e quando quase adorou o Napoleão.

Mas já este sentimento envelheceu e como empalidece agora este sentimento, como já é difícil saber por intermédio dele, como já soa estranha em nossos ouvidos a linguagem dos Rousseau, dos Schiller, dos Shelley e dos Byron, em que o destino da Europa soube achar o caminho da palavra, o mesmo destino que soube cantar Beethoven.

A música alemã que veio depois pertence ao romantismo, quer dizer, a um movimento mais breve, mais fugaz e mais superficial que aquele grande intermédio que assinala a transição da Europa de Rousseau à de Napoleão e para o advento da democracia. Weber: Mas que significa hoje para nós o "Francoatirador" e o "Oberon"? Ou então "Hans Heiling" e o "Vampiro" de Marschner? Ou "Tannhäuser" de Wagner? É uma música que já não soa mais, embora não esquecida. Pois toda a música do romantismo não era suficientemente distinta para impor-se no teatro ou ante as multidões; era desde início uma música de segunda ordem, pouco estimada pelos verdadeiros artistas.

Não sucedeu o mesmo com Felix Mendelssohn, o alciônico maestro que por sua alma leve, fina e rica e mais feliz, e que foi rapidamente esquecido, este belo entreato da música alemã. E pelo que se refere a Robert Schumann, que tomava as coisas gravemente e foi acolhido também gravemente e o último que fundou uma escola; não vos parece hoje uma fortuna e o despertar de um pesadelo o termos sido libertados desse seu romantismo?

Schumann, refugiando-se na "Suíça saxônica" de sua alma, tendo algo de Werther e de Johann Paul, certamente nada de Beethoven e menos de Byron (sua música manfrediana é um erro e um equívoco até a injustiça), Schumann, com seu gosto mesquinho (entre os alemães e uma propensão duplamente perigosa: o lirismo silencioso e a ternura de ébrio), ocultando-se sempre, acariciando-se a si mesmo, retraindo-se, um nobre efeminado ébrio de felicidade e de sofrimento, sofrimento anônimo, uma espécie de virgenzinha e de *noli me tangere*; desde o início, este Schumann não foi mais que um acontecimento alemão na música, não europeu como Beethoven, e muito menos ainda do que Mozart – com ele a música alemã viu-se ameaçada do mais grave perigo, o de perder os acentos da alma europeia, para tornar-se mais que simples patriotismo.

246

Que martírio os livros escritos em alemão para quem tem o terceiro ouvido! Como se indigna o turbilhão de sons sem harmonia, de ritmos que não dançam, que nos meios alemães chamam livro.

E que pensar do alemão que lê livros! Com que preguiça e repugnância os lê! Quão poucos alemães sabem que há arte em toda frase boa, arte que quer ser adivinhada enquanto a sentença quer ser compreendida!

Basta alguém equivocar-se sobre a velocidade, e a frase ficará malcompreendida! Conhecer as sílabas rítmicas, sentir a dissonância da simetria rigorosa, escutar cada *staccato* e cada *rubato*, um ouvido paciente e sutil, adivinhar o sentido das vogais e dos ditongos, e como em sua tenra e rica sucessão se coloram e transformam, quem entre os alemães que leem livros está apto para reconhecer tais obrigações e exigências, para ouvir tanta arte, tanta intenção na linguagem? Numa palavra; carecem de "ouvido" e os mais fortes contrastes do estilo passam despercebidos, e os artifícios mais sublimes são jogados fora como o fariam surdos.

Assim pensava eu ao ver como se confundiam grosseiramente dois mestres na arte da prosa; um que deixou cair as palavras gota a gota, frias como as estalactites, e o outro que se serve da língua como de uma espada flexível e do braço aos dedos sente a felicidade perigosa da lâmina superafiada que quer picar, zinir e cortar.

247

O fato de que precisamente nossos bons músicos são os que escrevem mal demonstra quão pouca relação tem o estilo alemão com a harmonia e o ouvido. O alemão não lê em voz alta, não lê para o ouvido, mas só com os olhos: guarda seus ouvidos na gaveta. O homem da Antiguidade Clássica, quando lia, lia em voz alta e se admirava de que outro qualquer lesse em voz baixa e perguntava baixinho: Por que motivo? Em voz alta: quer dizer, com todas as inflexões e todas as mudanças de tom e de velocidade que agradavam à antiga vida pública. Então as leis do estilo escrito eram as mesmas que as do estilo verbal; leis que por uma parte dependiam do desenvolvimento extraordinário e das necessidades requintadas do ouvido e da laringe, e por outra parte da força e resistência do pulmão antigo.

Um período era para os antigos um todo fisiológico, uma respiração articulada. Um período ascendente por duas vezes e de um só alento, como em Demóstenes e Cícero, era um prazer esquisito para aqueles homens, educados de maneira que podiam apreciar as virtudes que aí havia, o raro e o difícil na declamação de um tal período, sabendo avaliar por experiência própria; mas nós, os modernos, não temos direito ao grande período; somos de respiração curta em todos os sentidos. Os antigos eram até na fala diletantes, portanto conhecedores e críticos, e obrigavam os oradores a esforçar-se: não como no último século, em que quase todos os italianos, homens e mulheres, sabiam cantar, e por isso floresceu tanto na Itália a arte do canto e da melodia.

Mas, na Alemanha (com exceção dos últimos anos nos quais uma espécie de eloquência tribunícia agita timidamente suas novas asas) não houve mais que uma só espécie de eloquência pública aproximadamente artística: a do púlpito. Na Alemanha, somente o pregador conhecia o valor de uma sílaba, de uma palavra; sabia quanto uma frase golpeia, salta, precipita-se, corre e se esgota; tinha consciência do "ouvido", às vezes má consciência, porque não faltam motivos para que ao alemão seja difícil alcançar certa excelência da arte oratória e quando atinge é tarde demais. Por isso a obra da prosa alemã foi a obra-prima do seu maior pregador; a Bíblia é o melhor livro alemão. Em comparação à Bíblia de Lutero, tudo o mais pode chamar-se "literatura", uma coisa que não cresceu na Alemanha e que por isso não penetrará nos corações alemães como penetrou a Bíblia.

248

Há duas espécies de gênios: um que engendra e quer engendrar e outro que quer ser fecundado e pare. E assim, entre os povos geniais, uns tiveram o dom feminino da gravidez e a secreta missão de formar, amadurecer, aperfeiçoar: tais foram os gregos e hoje os franceses; e outros estão destinados a fecundar, para ser causas de novas ordens de vida: tais foram os judeus, os romanos, e dito com modéstia, os alemães também, povos torturados por uma febre oculta e impulsionada irresistivelmente fora de seu ser, enamorados e desejosos de raças estrangeiras, de raças que se deixam fecundar e ao mesmo tempo libidinosas de império, como todo aquele que sente em si, exuberante, a força que fecunda, a "graça de Deus".

Estas duas espécies de gênios se procuram como macho e fêmea, não se entendem porém, como acontece entre macho e fêmea.

249

Todo povo possui uma hipocrisia própria à qual dá o nome de "virtude". Mas o que há de melhor nele jamais se conhece nem se pode conhecer.

250

Que deve a Europa aos judeus? Muitas coisas boas e más, e sobretudo uma que é a essência do mal como do bem: o estilo grandioso da moral, a terribilidade e a majestade de postulados imensos, de infinitos significados, todo o romantismo e sublimidade dos problemas morais e, por conseguinte, a parte mais interessante, a mais sedutora e seleta daquele caleidoscópio que irradia aquele reflexo onde resplandece o céu da cultura europeia, crepúsculo da civilização europeia que talvez já resplandeceu; nós, espectadores, artistas e filósofos, estamos agradecidos por isto aos judeus.

251

Devemos receber de bom grado quando um povo, que padece e quer padecer de nevralgia nacional e ambição política, acha-se ofuscado por uma ou outra nuvem ou perturbação se tem algum excesso de imbecilidade: assim, por exemplo, os alemães de hoje estão empolgados pela loucura antifrancesa, ou pela antissemita, ou pela antipolaca, ou pela cristã-romântica, ou pela wagneriana, ou pela teutônica, ou pela prussiana (como aqueles pobres historiadores de cabeças-duras, Sibel e Treitschke); estas são pequenas névoas do espírito e da consciência alemã. Devem, pois, perdoar-me se depois de viver tanto tempo em território tão infecto não me libertei do contágio, e comecei, como os outros, a ocupar-me de coisas que a mim não me importam em nada, primeiro sintoma da infecção política. Por exemplo, a respeito de judeus. Ouçam: nunca encontrei um alemão que gostasse dos judeus; embora os judiciosos e políticos repilam incondicionalmente o antissemitismo, é de advertir que não se dirigem contra este sentimento, mas contra sua imoderação e manifestações vergonhosas.

Sobre isso não devem enganar-se.

A Alemanha tem bastantes judeus e o estômago e o sangue alemão terão um grande trabalho (e o terão por muito tempo) para digerir a imensa quantidade de "judeus". Os italianos, os franceses e os ingleses o digeriram por terem uma digestão mais robusta; eis aqui o que diz claramente a voz do instinto generalizado alemão, o qual deve ser escutado e pelo qual se deve reger: "Não se permita mais aos judeus penetrar na Alemanha! Cerrem-se as portas, principalmente no Oriente e na Áustria!"

É o que exige o instinto de um povo cuja natureza é ainda fraca e indeterminada, e a qual facilmente poderia ser absorvida por outra raça mais robusta. Os judeus são, sem dúvida, a raça mais vigorosa, mais tenaz e mais genuína que vive na Europa; sabem manter-se nas piores condições (talvez melhor que em condições favoráveis) e essas virtudes desejaríamos chamá-las de vícios, e isto graças, antes de tudo, a uma fé resoluta que não se envergonha ante as "ideias modernas"; mudam quando acaso se mudam, da maneira como o Império Russo quando alarga suas conquistas com um reino que tem tempo e não é de ontem, quer dizer, o mais lentamente possível.

Um pensador que medite acerca do futuro da Europa deverá contar com os judeus e com os russos como os fatores mais provados e seguros no grande jogo e luta de forças.

O que hoje na Europa se chama "nação", e que é melhor uma *res facta* do que *nata* e que parece *res ficta et picta*, é, em todo caso, algo que está se formando, uma coisa jovem, fácil de suplantar; ainda não é uma raça e menos ainda algo de *aere perennius*, como são os judeus; estas nações deveriam cuidar-se muito bem de toda concorrência feroz e de inimizade. É indubitável que os judeus, se quisessem e se se vissem obrigados, como parece que querem obrigá-los os antissemitas, poderiam ter a supremacia e até o domínio da Europa, isto é um fato; e que eles não almejam nem fazem planos nesse sentido é também um fato.

Por ora querem ou por assim dizer desejam com insistência ser absorvidos pela Europa; têm sede de morada estável, de serem tolerados e respeitados em alguma parte, de pôr fim à sua vida nômade, ao "judeu errante", e conviria considerar seriamente tal desejo, tal tendência (que significa talvez uma debilitação dos instintos hebraicos), em lugar de os combater; mas para fazer isto seria talvez oportuno afastar do país todos os demagogos antissemitas. Não devem reduzir com os judeus as precauções, certo espírito de seleção, como fez a nobreza inglesa.

É evidente que, sem qualquer temor, os tipos mais vigorosos e mais firmes do neogermanismo poderiam entrar em relações com eles, por exemplo, os nobres oficiais da Marca de Brandeburgo; seria de grande interesse estudar o cruzamento do elemento destinado por atavismo para mandar e obedecer – do qual é modelo clássico de dito país – com o gênio do dinheiro e da paciência (principalmente algo de espiritualidade, de que carece tanto Brandeburgo). Mas já é hora de deixar minha alegre divagação sobre os alemães e de tornar *à minha seriedade*, ao "problema europeu" como eu o entendo, quer dizer, para a formação de uma nova casta que deverá reinar na Europa.

252

Esses ingleses não são uma raça filosófica. Bacon significa um atentado contra o espírito filosófico em geral; Hobbes, Hume e Locke, um envilecimento do conceito "filósofo". Contra Hume se levantou Kant; de Locke pôde dizer Schelling: *"je méprise Locke"*; na luta contra a cretinização anglomecanicista do mundo, Hegel e Schopenhauer (com Goethe), inimigos entre si como gênios irmãos da filosofia, estavam concordes, ainda quando pretenderam unir os polos opostos do espírito alemão e tal fizeram com mútuo prejuízo como sucede entre os irmãos.

O que falta na Inglaterra, e falta sempre, sabia-o muito bem aquele semicomediante e retórico cabeça-tonta, Carlyle, quando tratava de ocultá-lo sob esgares apaixonados o que ele de si mesmo sabia: o que, pois, *faltava* a Carlyle propriamente era a verdadeira *potência* de espiritualidade, a verdadeira *profundidade* do olhar espiritual; numa palavra, a filosofia.

Uma tal raça afilosófica fica pertencendo rigorosamente ao cristianismo; necessita de sua disciplina para "moralização e humanização". O inglês é mais triste, mais sensual, mais forte de vontade e mais brutal que o alemão, e por isso mesmo é mais comum e é mais beato, por isto lhe é mais necessário o cristianismo.

Quem possua um olfato delicado advertirá nesse cristianismo inglês um cheiro anglicano de *spleen* e de vício alcoólico, contra os quais o cristianismo é usado por boas razões como remédio; quer dizer, o veneno mais fino contra o mais vasto; realmente um envenenamento refinado denota já um progresso, um passo para a espiritualidade num povo rude.

A grosseria inglesa e sua gravidade rústica ocultam-se melhor sob a máscara da mínima cristã, da oração e da reza, ou para dizer melhor é por meio delas explicada e modificada; naquele rebanho de brutos ébrios e dissolutos, que antigamente sob a férula do metodismo e modernamente com o "exército de salvação" aprenderam a rosnar da moral, pode acontecer que os espasmos da penitência representem o máximo possível de "humanismo", é o que efetivamente se pode conceder. Mas o que se adverte desde logo no inglês mais humanizado é sua total carência de sentimento musical (com metáfora e sem ela). Aos movimentos de sua alma e do corpo faltam-lhes o tato e o ritmo e ainda a ideia de tato, de ritmo e de música.

Olhem quando ele fala; observem o modo de andar das mais graciosas "misses" – não há país no mundo que tenha pombas e cisnes mais formosos – e escutai agora seu canto... Mas estou exigindo demais...

253

Os cérebros medíocres são os melhores para perceber certas verdades que são mais conformes a sua inteligência que a dos homens superiores. Há verdades que só possuem força de sedução para espíritos medíocres. Para essa fase talvez desagradável, estamos agora justamente impelidos:

é o que demonstra a influência preponderante exercida no gosto das medianias europeias por certos ingleses muito respeitáveis, mas de medíocre inteligência, como Darwin, Stuart Mill e Herbert Spencer.

E quem duvida da utilidade de que tais espíritos dominem por algum tempo? Seria um erro crer que precisamente os espíritos superiores, que andam por caminhos inacessíveis aos outros, possuam habilidade suficiente para recolher os fatos vulgares e miúdos, coordená-los e estudá-los.

Pelo contrário, representando estes homens a exceção, acham-se em posição desagradável quanto às "regras". Ademais, eles não nasceram somente para conhecer senão que devem ser e expressar algo novo, representar novos valores. O abismo que há entre o saber e o poder é talvez mais profundo e mais funesto do que se acredita; o que tem poder, estilo grandioso, espírito criador, talvez seja um ignorante, enquanto os descobrimentos científicos a Darwin exigem certa estreiteza de perspectivas, certa aridez de espírito, certo pedantismo, e, para ser breve, de espírito inglês. Não se esqueça, finalmente, que já uma vez os ingleses ocasionaram com sua profunda mediocridade uma depressão geral do espírito europeu; as chamadas "ideias modernas", ou "ideias do século XVIII", ou "ideias francesas", contra as quais se rebelou o espírito alemão com profundo asco, são de origem inglesa, não há dúvida. Os franceses são apenas símios e atores dessas ideias, também os seus melhores soldados, também da mesma forma, infelizmente, seus primeiros sacrificados.

Porque, sob a influência maléfica dessa anglomania, a alma francesa debilitou-se e enfraqueceu de tal modo que hoje se lembra quase sem fé de sua antiga força, apaixonada e profunda, de seus séculos de ouro, XVI e XVII, e de sua distinção inventiva.

Mas de qualquer modo, convém ter presente este princípio de equidade histórica e defendê-la das evidências e dos pareceres: que a nobreza europeia, a nobreza do sentimento, do gosto e dos costumes, e a palavra em sentido mais elevado são obra e criação francesa, e a vulgaridade europeia, o plebeísmo das ideias modernas, é invenção inglesa.

254

Ainda hoje é a França o campo de cultura mais intelectual e mais refinado da Europa, bem como a alta escola do gosto, mas é mister saber achar esta "França do bom gosto". Os que a formam permanecem cuidadosamente escondidos. Está composta de um pequeno número de pessoas, entre as quais ela vive e continua a viver, talvez entre homens débeis, em sua maior parte fatalista misantropos, enfermos, efeminados intelectuais, invejosos, ambiciosos de se esconderem. Numa coisa estão todos de acordo: em tapar bem os ouvidos para não escutar as solenes necessidades e o vozerio estrepitoso do burguês democrático. Na verdade, a França que se agita em cena é uma França anã e grosseira, é a França que nos funerais de Victor Hugo desafogou, numa orgia, seu mau gosto e sua autoglorificação. Noutra coisa também estão de acordo: na boa vontade de opor-se à germanização espiritual, e numa absoluta incapacidade de chegar a este fim. Hoje, na França do bom gosto, e também do pessimismo, Schopenhauer é mais familiar do que o foi na Alemanha, e não falemos de Heinrich Heine, que se inculcou no sangue dos líricos franceses mais sutis e pretensiosos; nem falemos de Hegel, o qual, sob a forma de Taine - o maior historiador vivo - exerce uma influência quase tirânica. E quanto a Wagner, a música francesa, à medida que se vai impregnando da alma moderna, irá sendo mais wagneriana e isso se pode já prever e já o percebemos.

Contudo, de três coisas podem estar orgulhosos os franceses, como sua propriedade indiscutível, como característica indelével de uma superioridade de cultura sobre o resto da Europa, a despeito da voluntária e involuntária germanização e plebeização do gosto:

Em primeiro lugar, de suas aptidões para as paixões artísticas, sua adoração da "forma", sua *"l'art pour l'art",* foram inventadas ao lado de mil outras. Isto não faltou em França há três séculos para cá, e graças ao respeito pelo "número menor", sempre será ali possível uma "música de câmara" da literatura, como não se encontra em nenhuma outra parte da Europa.

A *segunda* prerrogativa dos franceses é sua antiga e múltipla cultura *moral*: que a encontramos até entre os pequenos *romances* de jornais e casuais *boulevardiers de Paris,* uma sensibilidade psicológica esquisita, que nem se tem ideia na Alemanha e aqui nem sequer se pode conceber. Para chegar a tal ponto necessitarão os alemães de alguns séculos de paciente trabalho moral, como a França não poupou, e quem, por tal motivo, chamar de *naives* os alemães mudará o defeito em elogio.

(Como contraste à inexperiência alemã e à sua inocência *in voluptate psychologica*, parente próxima da morosidade da comunicação espiritual alemã, e como a expressão mais apropriada da ansiedade e dom de invenção verdadeiramente franceses pode valer para esse reino de emoções sutis, contentar-me-ei em citar Henri Beyle (Stendhal), uma espécie de precursor: de Napoleão, que recorreu majestosamente por alguns séculos *sua* Europa, descobrindo e explorando sua alma; foram necessárias duas gerações para *adivinhar* alguns dos enigmas que atormentavam e entusiasmava este singular epicúreo misterioso, último grande psicólogo da França.)

O *terceiro* título dos franceses à superioridade é sua feliz síntese do Norte e do Sul, a qual lhes permite compreender e fazer muitas coisas que não o poderia um inglês; seu temperamento que periodicamente se volve para o Sul, e se afasta dele depois de receber uma corrente de sangue provençal e lígúreo, preserva a França do horrível cinzento do Norte, da fantasmagoria e anemia dos países que não têm sol, de nossa *enfermidade germânica,* do gosto, contra cujo excesso costuma prescrever-se atualmente o sangue e o ferro, quer dizer, a "grande política" (como terapêutica perigosa que me faz esperar e suportar, mas que não me dá esperanças).

Hoje na França há incompreensão e expectação daqueles homens raros, difíceis de contentar, de vista demasiado ampla para que achem satisfação nos limites estreitos do sentimento ultrapatriótico; há expectação de homens que sabiam amar o Sul no Norte e o Norte no Sul; de homens intermédios, em suma, de "bons europeus".

Para estes foi escrita a música de *Bizet,* último gênio que vislumbrou novas belezas e encantos e descobriu uma parte da *música do Sul.*

255

Contra a música alemã creio necessárias algumas precauções. Quando alguém ama o Sul, como eu o amo, como uma grande escola de restauração espiritual e dos sentidos, como uma imensa glorificação da plenitude do sol, da luz e da saúde, na qual pode achar expansão um ser cheio de independência e de fé em si mesmo, deverá cuidar-se da música alemã, que, pondo-lhe a perder o gosto, prejudicaria também a saúde. O meridional (não só por nascimento, também pela *fé*), quando sonha num porvir da música deve sonhar também em redimir-se da música do Norte, e sentir em seus ouvidos o prelúdio de uma música mais profunda, mais potente, talvez mais maligna e misteriosa, de uma música superalemã, a qual, ante o aspecto do mar voluptuosamente azul e do sol meridional não empalideça, não se esconda, não fuja como a música alemã; sentirá em seus ouvidos uma música supereuropeia, que seja capaz de resistir aos inflamados crepúsculos dos desertos africanos, e cujo espírito seja aparentado à palmeira e esteja como em sua casa em meio das formosas feras, ferozes e solitárias.

Meu ideal seria uma música cujo maior e mais raro encanto consistisse na ignorância do bem e do mal, uma música trêmula com nostalgia de marinheiro, uma sombra dourada, uma terna fraqueza aqui ou ali, uma arte que absorvesse em si a grande distância de todas as cores do sol moral que se põe, do mundo moral que passa, e que acolhesse também aos fugitivos tardios.

256

Graças à aversão morbosa suscitada e mantida ainda pelo delírio nacionalista entre os povos da Europa; graças aos políticos de vista curta e de mãos grandes, os quais, em virtude de tal aversão, estão no auge, e nem sequer pressentem que sua política é uma política de entreato; graças a isto e a outras coisas que hoje não é possível expressar, descuidam-se e interpretam-se arbitrariamente os claros indícios que expressam um grande desejo de *unificação europeia*. Todo trabalho secreto da alma dos homens mais profundos deste século tendia a preparar tal *síntese* e fazer experimentos com o europeu do futuro; só com suas razões prévias ou nas horas de debilidade, ou na velhice, participaram do movimento "nacional" e descansavam de si mesmos somente quando se tornavam "patriotas". Refiro-me a homens que se chamavam Napoleão, Goethe, Beethoven, Stendhal, Heine, Schopenhauer. Não tomem a mal incluir entre eles Richard Wagner, acerca do qual não nos devemos deixar seduzir ante suas próprias incompreensões; – tais gênios têm raramente o direito de se compreenderem.

E tampouco se deve fazer caso do vozerio levantado em França contra Richard Wagner: é um fato inegável que entre os *neorromânticos tardios* franceses de há cinquenta anos e Richard Wagner existe íntima afinidade.

Em todas as alturas e profundidades de sua alma, aqueles grandes homens estão estreitamente unidos; a Europa, a Europa una, cuja alma a impele para o alto e tem nostalgia de sua arte múltipla e impetuosa, aspira e eleva-se... Para onde? Para uma nova luz? Para um novo sol?

Mas, quem poderia expressar com claridade o que não puderam expressar exatamente estes homens inventores de novas linguagens?

É certo que todos sofriam em sua alma as mesmas tempestades, que todos *investiga-*

vam do mesmo modo, estes últimos entre grandes investigadores. Todos eles estavam impregnados de literatura - os primeiros artistas de uma formação literária do mundo -, e a maior parte eram escritores, poetas, reveladores e amalgamadores de artes e de sentidos (Wagner como músico está classificado entre os pintores, como poeta entre os músicos e como artista genérico entre os grandes atores); todos eles eram fanáticos da *expressão* a "qualquer preço" (e mais Delacroix, afim de Wagner); todos eles grandes escritores no reino do sublime, e também no reino do brutal e do horrível, escritores ainda maiores no afetismo, na *mise-em-scène,* na arte da posição; todos, finalmente, de talento muito superiores ao seu gênio: *virtuosi,* com entradas secretas para tudo o que seduz, encanta, vence, inimigos jurados da lógica e das linhas retas; ávidos de todo o estranho, exótico, monstruoso, contraditório; Tântalos da vontade; plebeus arrivistas, incapazes assim no viver como no criar de um *tempo* e de um *lento* aristocráticos - exemplo Balzac - trabalhadores desenfreados que com o trabalho se destruíam a si mesmos; antinomistas e rebeldes nos costumes; ambiciosos e insaciáveis sem equilíbrio e sem gozo; todos eles finalmente dobrando-se ante a cruz cristã (porque quem deles teria sido bastante profundo e original para conceber a filosofia do *Anticristo?*); em conjunto, uma espécie de homens superiores, audazes, magníficos, temerários, violentos, cujo voo arrasta os outros e que ensinaram a seu século - século de *massas* - o conceito do "homem superior"...

Os alemães amigos de Wagner fariam bem em examinar, conscienciosamente, se a arte wagneriana é somente alemã, ou se precisamente sua glória consiste em ter-se inspirado em fortes e impulsos *superalemães*; e não esqueçam o fato de que ao aperfeiçoamento de seu tipo foi indispensável Paris, que o chamou e para onde foi atraído imperiosamente no momento mais decisivo pela força de seus instintos, de sua maneira de se apresentar e de seu autoapostolado, e só puderam aperfeiçoar-se pelo exemplo do socialismo francês. E se aprofundamos - como se mostrou mais vigoroso, audaz e elevado e menos escrupuloso de quanto possa sê-lo um francês do século XIX da barbárie que os franceses. Talvez o mais singular que Wagner criou será sempre inacessível, incompreensível e inimitável para toda a raça latina: a figura de Sigfried, aquele homem muito livre, demasiado livre, demasiado rude e alegre e são, demasiado *anticatólico*, para que agrade aos povos que se gloriam de uma civilização antiga e decrépita. Poderá significar um pecado contra o romantismo este Sigfried antirromântico, mas já expiou Wagner seu pecado, quando em sua ansiedade - talvez antegozando o seu gosto que se tornou político - começou com sua habitual veemência religiosa a pregar a peregrinação a Roma, embora ele mesmo não o fizesse.

Para que não haja eu malcompreendido, quero conciliar a mim mesmo por intermédio de versos fortes e que dirão a ouvidos menos apurados o que eu quero contra este último Wagner e sua música de Parsifal:

- É isto ainda alemão?

Este grito morno vem do coração germânico?

Vem de um corpo alemão este desnudar a si mesmo?

São alemães esses dedos e mãos de sacerdotes?

Estes sentidos exaltados pelo incenso?

É germânico esse hesitar, esse cair, esse pender, esse incerto bimbalhar?

Esses olhos súplices de freira, esse bimbalhar de sinos das Ave-Marias?

Esse olhar ao céu dos loucos extasiados?

– É isto ainda alemão?

Pensai: ainda estais ante o umbral; – o que estais ouvindo é *Roma, a fé de Roma sem palavras!*

NONA PARTE
Que é o aristocrático?

257

Toda nova elevação do tipo "homem" foi até hoje obra de uma sociedade aristocrática, e assim sempre será numa sociedade que tenha fé na necessidade de uma profunda diferença do valor de homem a homem, e que para chegar a seu fim necessita da escravidão sob uma ou outra forma. Sem o *pathos da distância* que nasce da diferença encarniçada de classes, e do constante olhar ao derredor de si e sob si, da casta reinante para os súditos e instrumentos do seu constante exercício de mandar e de manter os outros à distância, não seria possível crescer dali outro misterioso *pathos*, o desejo de ampliar as distâncias dentro da própria alma, o desenvolvimento de estados anímicos, cada vez mais elevados, mais raros, mais vários e mais longínquos; numa palavra, a elevação do tipo homem, o incessante triunfo do homem sobre si mesmo (para empregar em sentido supermoral uma fórmula moral). E não se deve fazer ilusões humanitárias acerca da origem de uma sociedade aristocrática (e portanto, a predisposição da elevação do "tipo homem"); esta verdade é dura. Digamos, sem hesitação, como começou na terra uma civilização nobre e elevada. Homens de natureza primitiva, bárbaros no sentido mais terrível da palavra, homens de rapina, com indômita força de vontade, com ardente desejo de dominar, precipitaram-se sobre as raças mais débeis, mais civilizadas, que se ocupam do comércio ou do pastoreio, ou sobre outras civilizações decrépitas que gastam as últimas energias da vida em esplêndidos fogos de artifício do espírito e da corrupção. A casta aristocrática foi sempre em seus começos a raça bárbara e sua preponderância deve ser buscada, não na força física, mas na força do espírito: eram homens mais completos que, em cada degrau, significam bestas mais completas.

258

A corrupção, indício manifesto que a anarquia ameaça os instintos, de que o edifício fundamental das emoções que se chama "vida" se abalou, é diversa, segundo o organismo em que se manifesta. Por exemplo, se uma aristocracia, como a da França no século da Revolução, renuncia os seus privilégios com asco sublime e se sacrifica a si mesma no altar de seu exagerado sentido moral, isto é uma corrupção: é o último ato de uma corrupção secular (seus membros renunciaram a pouco e pouco às suas prerrogativas feudais para ser funcionários do rei, e, por último, meros adornos da corte). O essencial numa boa e sadia aristocracia é que se mantenha, quer num reino ou numa república, não como função real nem social, mas como íntimo significado e alta justificação destas instituições, e que, por isso, acolha com tranquilidade de consciência o sacrifício de inumeráveis indivíduos, que por ela devam reduzir-se à condição de homens incompletos, de escravos, de instrumentos. Seu credo fundamental deve compendiar-se no princípio de que a sociedade não existe para a própria sociedade, mas como base, andaime e sustentáculo de uma espécie de seleção de homens que possam realizar seus altos destinos e viver com vida mais elevada: à semelhança daquelas trepadeiras sedentas de sol de Java – chama-se *Sipo matador* – e que se aderem com seus braços ao azinheiro o tempo necessário para desabrochar à esplêndida luz franca do sol, e essa espécie, neles apoiados, abram a sua coroa e demonstrem assim a sua felicidade.

259

O abster-se reciprocamente de toda ofensa, de toda violência e de toda exploração; o equiparar a vontade à de outrem, pode ser um bom costume entre os indivíduos em certas circunstâncias e condições (quer dizer, quando há equilíbrio aproximado de forças, de medidas e de homogeneidade). Mas se se quer estender este princípio e considerá-lo como fundamental da sociedade, revelar-se-ia como é, com vontade da negação da vida, como princípio de dissolução e de decadência.

Aqui convém aprofundar-se no pensamento e deixar à parte todo sentimentalismo; a vida é essencialmente um assenhorear-se violento de tudo quanto é estranho e fraco; significa opressão, rigor, imposição das próprias formas, assimilação, e para usar uma palavra mais ou menos branda, exploração.

Mas por que havia de se empregar justamente tais palavras, as quais desde os tempos antigos estão impregnadas de uma intenção caluniadora?

Mas também aquela corporação, dentro da qual como nós anteriormente supomos, as pessoas tratam-se com igualdade - acontece isso em cada aristocracia sadia - deve fazer, quanto às outras corporações, caso seja ela um corpo vivo e não decadente, que as pessoas se abstenham umas das outras: quererá ela dominar, crescer, dilatar-se, quererá supremacia, atrair, conquistar, não porque isto seja bom ou mau, mas porque ela vive, e vida é "vontade de potência".

Mas, neste ponto, a consciência geral dos europeus é mais obstinada: embora os doutos prometam um futuro estudo social que não tenha caráter de exploração, o que me parece como querer inventar uma vida sem quaisquer funções orgânicas. A exploração não é para nós indício de sociedade corrompida, imperfeita e primitiva; é parte essencial de tudo quanto vive, é uma função orgânica, consequência da vontade de potência, que é apenas a vontade de viver. Isto, como teoria, poderá ser coisa nova, mas, na realidade, é o fato substancial de toda a história: sejamos finalmente honestos neste ponto para confessá-lo.

260

Em minha peregrinação através dos sistemas de moral mais requintados ou mais grosseiros que até agora reinaram e ainda reinam, observei a repetição e a conexão de certos traços característicos, e cheguei a descobrir os tipos fundamentais. Há a moral dos senhores e a moral dos escravos, e nas civilizações mais elevadas e cruzadas acharam-se tentativas de conciliação entre ambos sistemas e mais frequentemente uma confusão dos mesmos, efeito de recíprocos equívocos e ainda, às vezes, coexiste um sistema junto ao outro, e tudo isto se observa também nos indivíduos dentro de uma única alma.

As distinções morais dos valores tiveram origem ou numa classe dominadora consciente de sua superioridade, ou numa classe dominada, dos escravos e dependentes de qualquer grau. No primeiro caso, quer dizer, quando os dominadores são os que determinam o conceito "bom", os estados soberanamente elevados da alma serão decisivos ao determinar os títulos de distinção e ao classificá-los. O aristocrata mantém afastado de si os seres em que se manifestam os estados opostos de alma; detesta-os.

Observe-se que, neste primeiro gênero de moral, as palavras "bom", "mau" significam "aristocrático" e "desprezível"; o contraste "bem" e "mal" tem outra origem. Despreza-se o covarde, o medroso, o pedante, o utilitário estreito, o desconfiado, o que se humilha a espécie de cão no homem que suporta qualquer maltratamento, o adulador que mendiga uma esmola, e sobretudo o embusteiro: é uma crença fundamental dos aristocratas que o povo baixo é embusteiro.

"Verídicos" chamavam-se a si mesmos os nobres da Grécia Antiga. É claro que as indicações dos valores antigos se aplicaram primeiramente às pessoas e depois, por derivação, às ações, pelas quais cometem um grosseiro erro aqueles historiadores da moral que tomam como ponto de partida perguntas como esta: "Por que o ato da compaixão foi louvado?"

A raça aristocrática sabe que é determinadora dos valores e não sente necessidade de ser aprovada ou elogiada; julga ser prejudicial em si mesma aquilo que a prejudica; sente ser ela quem dá finalmente honra às coisas, quem *cria valores*. É a moral da exaltação de si mesmo. Nela predominam os sentimentos de prosperidade, de potência, de felicidade, de alta tensão, a consciência de uma riqueza que transborda e se dá; o homem aristocrático socorre o desgraçado, nunca ou quase nunca por compaixão, mas por um estímulo que lhe vem do excesso de sua potência. O homem aristocrata honra em si mesmo o poder, honra também aquele que tem poder em si mesmo, que sabe falar e calar, que exerce com prazer severidade e dureza contra si e tem veneração diante de tudo que é severo e duro.

"Um coração duro pôs-me Wotan no peito", diz uma antiga saga escandinava, poesia que brotou da alma de algum soberbo Viking.

Homens de tal espécie sentem-se satisfeitos de não terem nascido para a compaixão!

Por essa razão o herói da saga acrescenta: "Quem de jovem nunca teve duro o coração, jamais o terá". Os homens aristocratas e valentes que de tal modo pensam estão muito longe daquela moral que justamente na compaixão ou na ação para com os outros ou no *desintéressent* vê o distintivo da moralidade; a fé em si mesmos, o orgulho de si mesmos, uma versão ingênita, irônica e altruísta constitui a moral aristocrática, assim como também um leve desprezo diante de todo sentimento e do coração bom. São os poderosos os que sabem honrar; esta é a sua arte, seu reino criativo. A profunda veneração à Antiguidade e à origem (que é a base de todos os seus direitos), a fé e preocupação em favor dos antepassados e o ódio ao que provém do povo, são típicos na moral dos poderosos; por outro lado os homens de "ideias modernas" que creem instintivamente no "progresso" e no "futuro", e que vão perdendo o respeito à Antiguidade, revelam com isso a origem vulgar e plebeia de suas "ideias". O que, porém, é mais estranho ao gosto hodierno e sensível na severidade de sua tese é a moral dos poderosos que afirma ter obrigações somente quanto aos de sua grei, e não quanto aos seres de um grau inferior e a tudo quanto é estranho procede à vontade ou "como lhe inspire o coração", isto é, sempre "além do bem e do mal", ao qual pertencem a compaixão e os outros sentimentos. Um agradecimento e uma vingança perduráveis – tudo somente dentro de sua grei – a sutileza na recompensa *raffinement* no conceito da amizade, uma certa necessidade de ter inimigos (canais para desafogar os sentimentos de inveja, de rivalidade, de insolência, e, no fundo, para poderem ser *bem amigos*), todos estes são caráteres típicos da moral aristocrática. Como já dissemos, não é a moral das "ideias modernas" e por isso é difícil a sentirmos hoje. Também torna-se difícil desenterrá-la e descobri-la.

261

Uma das coisas que ao aristocrata é difícil de compreender é a vaidade. Ele será tentado a negá-la também lá onde uma outra espécie de homens julga pegá-la com ambas as mãos; o problema para ele consiste no fato de imaginar seres que procuram despertar uma boa opinião sobre si mesmos, que eles, entretanto, não têm e que portanto não a "merecem" e que, finalmente, acreditam nessa boa opinião. Isto ao aristocrata parece-lhe de tão mau gosto e tão irrespeitoso e tão barroco e irracional que se sente inclinado a considerar a vaidade como uma anomalia e a duvidar que exista na maior parte dos casos em que dela se fala.

Dirá, por exemplo: "Eu posso extraviar-me ao julgar meu próprio valor, e posso pretender, contudo, que meu valor seja reconhecido pelos outros na mesma medida que o é por mim; mas isto não é vaidade" (poderá ser presunção e, às vezes, o que é também chamado humildade e modéstia).

Ou então: "Alegro-me do bom conceito que têm de mim os outros, porque os respeito e os quero, e me agrada vê-los satisfeitos de mim; ou porque sua opinião me dá forças e me confirma a minha e nela me fortifica, ou porque possa ser-me útil; mas nada disto é vaidade". O aristocrata deve apresentar a si mesmo com dureza, principalmente com o apoio da história, que desde tempos pré-históricos, em todas as camadas de qualquer forma dependentes, o homem comum só era aquilo que valia. Desacostumados de qualquer forma de dar valor aos valores, também a si mesmos não davam nenhum outro valor, além daqueles que o senhor lhes dava (*é direito dos senhores* o de criar valores).

E pode considerar-se como um monstruoso atavismo o fato de que ainda hoje o homem vulgar esteja esperando as opiniões, não somente uma boa opinião, mas uma inadequada e má acerca de si mesmo para a ela submeter-se, lembre-se por exemplo na maior parte a autovaloração e autodesvalorização que certas devotas humildes aprendem de seus confessores e que de qualquer modo o cristão crente aprende de sua igreja. Realmente, graças à lenta marcha da democracia (ou como se disséssemos graças à lentidão do cruzamento entre as raças dominadas e as raças escravas), a inclinação, outrora aristocrática e rara, de atribuir-se valor a si mesmo e de pensar bem acerca de si, vai-se fortalecendo e alargando-se cada vez mais: mas terá por inimiga uma inclinação mais inveterada, mais difusa e mais vital, que é o fenômeno da vaidade, a qual, como mais antiga, predomina sobre a mais nova. O homem vaidoso goza nos louvores muito além das perspectivas de sua utilidade e do mesmo modo muito além do verdadeiro e do falso, assim como ele sofre sente-se mal em cada mau julgamento, sente-se submetido aos dois sentimentos; vindo daquele antigo instinto de submissão. É o escravo no sangue do vaidoso, um resíduo da astúcia servil que procura instigar as boas opiniões a seu próprio respeito (e quanto de escravo existe, por exemplo, ainda hoje na mulher!). Do mesmo modo é o escravo que diante dessas opiniões logo se prostra como se não fosse ele que as tivesse provocado. E digamos novamente: vaidade é um atavismo.

262

Em condições terrivelmente desfavoráveis adquire nascimento, força e vigor uma espécie ou um tipo. Pelo contrário, pela experiência dos criadores, a raça que goza de alimentação superabundante e de excessivos cuidados propende a uma alteração do tipo, e nela são frequentes os portentosos e os monstros (e também os vícios monstruosos).

Considere-se agora uma comunidade aristocrática, por exemplo, uma antiga *Polis* grega, ou Veneza, como voluntário ou involuntário arranjo para o *fim* da criação. Vemos ali reduzidos às suas próprias forças homens que querem fazer triunfar sua própria espécie na maior parte porque devem fazê-la triunfar, do contrário correriam o tremendo perigo de serem destruídos. Ali não haverá condições favoráveis, aquela superabundância, aquela proteção pela qual a variação é favorecida, e a espécie se vê obrigada a consolidar-se em virtude de sua dureza, de sua uniformidade e simplicidade para realizar isso durante muito tempo, na luta incessante que deve sustentar com seus vizinhos ou com seus súditos rebeldes e ameaçadores. Uma longa experiência ensina a estes homens a distinguir-se as qualidades que lhe deram a vitória; chamam-nas virtudes e procuram aumentá-las. É o que fazem usando de rigor, levando a lei a rigor; toda moral aristocrática é intolerante na educação da juventude, na sujeição das mulheres, no matrimônio, nas relações entre jovens e velhos, nas relações penais (que só se referem aos degenerados); – e ainda colocam entre as virtudes a intolerância com o nome de "injustiça".

De tal maneira se forma, desafiando as gerações, um tipo de homens de traços mais acentuados, extremamente prudentes, taciturnos, encerrados em si mesmos (e por isso com um sentimento sutil para todos os encantos, para todos os matizes da vida social); a luta incessante em tais condições realiza o tipo forte e rude. Mas chega por fim uma época de prosperidade, e se afrouxa a imensa tensão; os vizinhos se tornam amigos e abundam os meios de viver e de gozar. Rompe-se o vínculo e a necessidade da antiga disciplina deixa de ser condição tão exigente da existência: se ela quisesse continuar poderia fazê-lo somente sob a forma de *luxo* como um *sabor* arcaizante. A variação, seja como abastardamento (para o mais elevado, mais fino e mais raro), seja como degeneração e monstruosidade, entra de repente em cena, na máxima amplitude, formosura e beleza; o solitário ousa estar só e elevar-se nesses solstícios da história e aparecem em conjunto, e muitas vezes enlaçados, um crescer, um subir, um emancipar-se magnífico, múltiplo, igual à mata virgem, uma espécie de rapidez tropical na porfia do crescer, e também uma imensa ruína graças ao egoísmo feroz e à luta pela vida, que lutam "pelo sol e pela luz" e não sabem aproveitar nenhum limite nem freio das regras antigas da moral. Foi a própria moral que acumulou a força no imenso, que retesou o arco de modo tão ameaçador: – agora ela será superada.

Então chega o ponto mais perigoso, mais sinistro, onde uma vida maior, mais múltipla, mais vasta, vence a antiga moral; e o indivíduo se vê obrigado a inventar uma legislação própria para atos próprios e novas astúcias para conservar-se, para autoelevar-se, para redimir-se. Então se apresentam novos *para quês* e novos *com quês*; desaparecem as antigas fórmulas; juntam-se e entrelaçam-se a corrupção mais baixa e os mais sublimes desejos, afirma-se o gênio da raça extravagante do bem e do mal, como simultaneidade de primavera e de outono, com aqueles novos atrativos e com aqueles véus misteriosos que são a prerrogativa de uma corrupção incipiente, jovem, tão cantada, como extenuada. Apresenta-se de novo o perigo, o perigo, pai da moral, o grande perigo, mas esta vez no indivíduo, no próximo, no amigo, na vida, nos próprios filhos, no próprio coração, no mais íntimo e secreto do desejo e da vontade; que pregarão então os moralistas que hoje ascendem? Sagazes observadores nas esquinas, pressentem que tudo se arruína e que não sobra mais nada para o dia de amanhã, exceto aquela espécie de homens, os invariavelmente medíocres.

Somente os medíocres têm probabilidade de continuar, de se propagarem: são os homens do futuro, os únicos sobreviventes. Diz agora a única moral que hoje tem ouvidos: "Sede como eles, sede medíocres!"

Mas essa moral é difícil de pregar! Nunca deverá confessar o que é, o que quer! Teria de falar de moderação, de dignidade, de deveres, de amor ao próximo, e muito lhe custará ocultar a ironia.

263

Há um instinto da categoria que já por si é indício de categoria elevada; há certo prazer nos matizes do respeito, cujo prazer deixa transportar a origem e os costumes nobres. A delicadeza, o valor e a estatura de uma alma se encontram submetidas a dura prova quando esta sente que se aproxima de algo que pertence a uma ordem mais elevada: mas ainda não é protegido contra os pruridos da autoridade, e diante dos gestos de grosseria insistente é um sentimento indistinto, incerto, escondido, disfarçado, uma verdadeira pedra de toque. O psicólogo de ofício pode determinar por esta medida o valor definitivo de uma alma, o grau inato e imutável do valor e da condição a que pertence: basta-lhe para medida o instinto da veneração.

Difference engendre haine: a vulgaridade de muitas naturezas salpica de água suja quando algum copo sagrado, alguma preciosidade de armários trancados, algum livro com os sinais de um grande destino passa por eles; e por outra parte, o olhar vacilante, um involuntário mutismo, a imobilidade de gestos demonstram que uma alma sente próxima de si algo de venerável. A alta veneração da Bíblia na Europa é talvez o mais formoso resultado de disciplina e dulcificação de costume que a Europa deva ao cristianismo: livros tão profundos e de tão alto significado necessitam ser protegidos por uma tirania exterior para conquistar *milênios de duração, necessários* para sua interpretação cabal e completa.

Muito já se fez ao conseguir ter infundido às massas superficiais o sentimento de que nem em tudo se pode tocar e de acontecimentos sagrados ante os quais devemos tirar as sandálias e não aproximar as mãos imundas. Isto significa a elevação do humanismo à sua última potência.

Nas pessoas que se chamam doutas, nos crentes das ideias modernas, nada inspira tanta repugnância como sua falta de pudor, a cínica impudência do olho e da mão com que tocam, medem e profanam tudo, e talvez hoje no povo, no baixo povo, principalmente nos lavradores, existe relativamente maior nobreza de gosto, de tato e de respeito que no *demi-monde* intelectual e que lê periódicos.

Não podem ser extirpados da alma do homem os hábitos que seus antecessores gostavam de ter: que fossem homens de sua casa, econômicos, apêndices de seu escritório ou de seu castelo, modestos e burgueses em seus desejos e modestos em suas virtudes, quer estivessem acostumados a responsabilidades e deveres mais duros ou finalmente quer fossem senhores de velhas prerrogativas de nascença e que sacrificaram qualquer ocasião para viver integralmente sua fé ou o seu Deus, como os homens de uma consciência imperdoável e tenra que se envergonha, que se enrubesce diante de cada mediação.

Deve negar-se em absoluto a possibilidade de que um homem não tenha as qualidades e afeições de seus pais e avós por mais que pareça o contrário. Tal é o problema da raça. Dado que se conheça algo dos pais, é lícito tirar-se uma conclusão a respeito do filho.

Quando nos pais há repugnante incontinência, baixa inveja, grosseira teimosia (três coisas que sempre houve no tipo plebeu), tudo isto se perpetua nos filhos com o sangue corrupto, e a melhor educação não conseguirá senão dissimular o *atavismo.*

E qual é hoje, em suma, o objetivo de toda educação e de toda cultura? Em nossa época democrática ou, por melhor dizer, de gentalha, a educação e a cultura devem ser a arte de enganar acerca das origens, acerca do plebeísmo hereditário do corpo e da alma. Um pedagogo que hoje pregasse diante de todos a veracidade, e proclamasse aos seus discípulos "sede verdadeiros, sede naturais, apresentai-vos como sois, um tal burro virtuoso e fiel depois de algum tempo agarraria aquela *fur-*

ca de Horácio *para naturam expellere*; mas com que resultado? A "plebe" *usque recurret.*

265

Ainda, com o risco de desagradar a certos ouvidos inocentes, sustento que o egoísmo é parte essencial da alma aristocrática. E por egoísmo entendo aquela fé incontrastável de que a um ser como "nós somos" devem submeter-se e sacrificarem-se outros seres. A alma aristocrática aceita este fato, sem dúvida e sem provas, sem repugnância, como se tivesse seu fundamento nas leis mais primitivas da natureza: procurando um nome para isso, ela é a "justiça por si mesma". Em determinadas circunstâncias e depois de duvidar, confessa a si mesma que há seres com direitos iguais aos seus, e logo que ela se esclarece a respeito dessa questão de escala, desde então se comporta com estes seres iguais e de direito igual com a mesma segurança, vergonha e débil respeito que usa consigo mesma, da mesma maneira que todas as estrelas se comportam segundo certo mecanismo celeste.

Eis aqui outro sinal de egoísmo, a delicadeza e autolimitação em relação aos seus iguais: cada estrela é egoísta do mesmo modo.

Assim, a alma aristocrática honra a si mesma quando honra as outras de sua classe, e não duvida que esta troca de honras e direitos pertença ao estado geral das coisas. Dá e recebe pelo instinto apaixonado e irritado de recompensas que jaz no seu fundo.

O conceito "graça" *inter pares* não tem significado, nem bom cheiro: pode acontecer que seja uma maneira sublime de deixar cair do alto os dons e sorvê-los como sorvem um sedento as gotas de chuva. Mas uma alma nobre não é hábil para tal proceder: impede-o o seu egoísmo, ela não gosta de olhar para o alto; olha de frente e com alma, ou então para baixo, "porque sabe que se acha no alto".

266

"Só é digno de respeito aquele que *não busca* a si mesmo". Palavras de Goethe ao conselheiro Schlosser.

267

Há um provérbio na China que as mães ensinam aos filhos: *siao-sin,* "torna pequeno o teu coração"! Esta é a verdadeira inclinação fundamental nas velhas civilizações; não duvido que um grego da Antiguidade reconheceria nos modernos europeus o apequenamento de si mesmos; só por si seríamos "contra o gosto deles".

268

Por último, que é a vulgaridade? As palavras são notas musicais para as ideias, e as ideias são mais ou menos determinadas por certas sensações que se repetem e se acumulam para grupos de sensações.

Para compreender-nos reciprocamente não basta empregar as mesmas palavras; é necessário empregá-las para a mesma espécie de acontecimentos internos; quer dizer, é preciso ter uma experiência *comum.* Por isso os indivíduos que pertencem a uma nação se entendem melhor que os de nações diferentes, ainda quando estas usem da mesma língua. Com mais clareza, os indivíduos que conviverem por muito tempo em idênticas condições (de clima, de solo, de perigo, de necessidades, de trabalho), formam algo que se compreende, formam um povo. Em todas aquelas almas preponderará o mesmo número de acontecimentos que se repetem, sobre aqueles que rara vez se apresentam; próximos dos primeiros, estender-se-á logo a gente; por isso a história da língua é a história de um processo de abreviaturas; e desta rápida compreensividade se origina a união cada vez mais íntima. Quanto maior é o perigo, tanto maior é a necessidade de combinar de modo mais rápido a respeito daquilo que precisa, entender-se no perigo é o que os homens tratam de obter em suas relações mútuas. Ainda na amizade e no amor podem fazer-se tais experiências, e nenhuma relação é durável se um dos dois adverte que o efeito das mesmas palavras no outro não é o que ele sente, acredita, deseja e teme.

(O temor de não se entender nunca é o gênio benéfico que impede muitas vezes às pessoas de sexo diferente unirem-se precipitadamente, por mais que os sentidos e o coração o aconselhem, e *não* o "Gênio da espécie" de Schopenhauer!)

Quais grupos de sensação despertam os primeiros *em* uma alma, fazem sentir e predominar: eis aqui o que decide toda a hierarquia de valores gerais, eis aqui o que determina a escala de bens.

As valorações morais do indivíduo revelam a *estrutura* de sua alma, suas condições vitais, sua própria necessidade. Pois bem; se admitirmos que desde que o mundo é mundo a necessidade aproximou tais indivíduos que com signos semelhantes sabiam indicar necessidade e acontecimentos semelhantes, conclui-se a fácil *comunica-*

bilidade da necessidade, quer dizer, a repetição de acontecimentos mediamente vulgares que sempre foram a força mais poderosa de quantas influíram no homem.

Os indivíduos que mais se assemelham entre si, e que são mais comuns, estiveram e estarão sempre em melhores condições que os indivíduos seletos, delicados, singulares, mais difíceis de ser compreendidos, e que frequentemente são vítimas de apelar para forças desmedidamente potentes para opor-se com êxito a este natural, mais que natural *progressus in símile*, que é a degeneração do homem no semelhante, no comum, no medíocre, no animal de rebanho, no vulgar.

269

Um psicólogo de vocação, um adivinhador de almas, quanto mais se atém ao estado dos casos raros e dos homens seletos, tanto mais cresce nele o perigo de ser sufocado por sua própria compaixão; necessitaria de maior insensibilidade e bom humor que os outros homens.

A corrupção, a ruína dos homens mais elevados, das almas estranhamente formadas, é a regra: terrível coisa é sempre diante dos olhos semelhante regra. O múltiplo martírio do psicólogo que descobriu esse perecer, uma tal "incurabilidade" completa e interna do homem superior, esse eterno "demasiado tarde" de toda a história; esse atroz martírio pode ser causa de que o psicólogo se volta desesperado contra a própria sorte e experimente até destruir-se a si mesmo, até precipitar-se em sua perdição. Na maior parte dos psicólogos encontra-se a propensão a ocupar-se com indivíduos vulgares e bem ordinários; com isto revelam sua necessidade de fugir, de esquecer, de afastar tudo aquilo que suas introversões e "vivissecções" de sua profissão deixaram impresso em sua consciência; e lhes é próprio ter medo da própria memória. Ante os juízos dos outros homens, o psicólogo cala facilmente e escuta com semblante impassível, como quem está venerando, admirando, amando e transfigurando o que viu, ou então esconde seu silêncio e aprova qualquer opinião superficial. Talvez o paradoxo do estado em que se acha chega até ao horrível ponto de sentir grande compaixão ao lado do grande desprezo ali onde o vulgo, as pessoas cultas e os sentimentalistas manifestam grande veneração pelos "grandes homens", pelos animais portentosos, em virtude dos quais se bendiz e se ama a pátria, a terra e a dignidade humana, apresentando-se aos jovens para que lhes sirvam de modelo...

E quem sabe se em todos os casos importantes não haverá ocorrido o mesmo! Quem sabe se os venerados pela multidão e na história terão sido as primeiras vítimas de seus sacrifícios!

O êxito sempre foi grande embusteiro, e toda "obra" significa um êxito; o grande estadista, o conquistador, o descobridor são irrecognoscíveis, sob o manto de suas criações; a "obra" do artista ou do filósofo é a que inventa a imagem de quem o criou ou deve ter criado; os "grandes homens" são pequenos e maus poemas fabricados depois; no mundo dos valores históricos dominam os moedeiros falsos.

Alguns grandes poetas como Byron, Musset, Poe, Leopardi, Kleist, Gogol (não menciono os maiores, mas penso neles), tais como são talvez como devem ser, homens do momento, entusiastas, sensuais, cândidos como crianças descuidadas, súbitos e leves na confiança e na desconfiança, com almas que escondem sua ferida, com certa mancha interna que querem fazer vingar em suas obras, erguendo-se em sublime voo, para livrarem-se de uma memória demasiado fiel; homens talvez extraviados no pântano e enamorados do pântano até parecem fogos fátuos que querem dar-se por estrelas - o povo os chama talvez idealistas -, homens que lutam com grande repugnância, com o espectro do ceticismo, que os torna frios e os obriga a ir anelantes em busca da "glória" e a beber "a fé em si mesmos" nos copos dos ébrios aduladores; estes artistas, e em geral todos os grandes homens, que martírio são para quem chega a adivinhá-los! E se compreende bem como a mulher, que vê claro no mundo das dores, e infelizmente também muito além de suas forças, é desejosa de auxílio e salvação - e se compreende tão facilmente aquelas explosões de compaixão ilimitada e dedicada que a multidão, principalmente a multidão que não sabe compreender, interpreta de maneira presunçosa. Esta compaixão engana-se frequentemente acerca de suas próprias forças: a mulher quer fazer crer que o amor pode tudo, e esta é a sua superstição. Mas, ah! Os filósofos do coração sabem quão pobre, quão digno de auxílio, quão presunçoso e apto para enganar e para destruir é o amor mais profundo e sincero...

É possível que a santa lenda da vida de Jesus seja um dos casos mais profundos do martírio que produz a ciência do amor: o martírio de um coração puríssimo e ardente que não se sinta satisfeito com nenhum amor humano e que sempre pedia *ser mais amado,* e que o pedia ardentemente, loucamente, com terríveis imprecações contra os que lhe negavam amor; a história de um pobre sedento que não pôde saciar sua sede, e que imagina um inferno onde precipitar aos que não o amam, e que, finalmente, tendo alcançado a ciência do amor humano, teve de imaginar um Deus todo amor, todo potência de amor, o qual tem pena do amor humano, porque é um amor tão mesquinho, tão ignorante. Quem de tal modo sente e conhece o amor vai em busca da morte...

Mas para que permanecer preso a coisas tão dolorosas. Se supusermos que não há necessidade fazê-lo...

270

O orgulho espiritual e a repugnância de todo homem que sofreu muito (a potência de sofrer determina a categoria), a horrível certeza que o embebe, o impregna de saber, em virtude de suas dores, muito mais que todos os sábios, e de conhecer mundos remotos e horríveis (dos quais vós nada sabeis); este orgulho espiritual e mudo de quem sofre; esta soberbia do eleito do conhecimento, desse "sabedor", crê necessário disfarçar-se sob todas as formas para afastar-se das mãos indiscretamente piedosas, e de tudo quanto não o iguala em sofrimento. Os profundos sofrimentos tornam aristocrático o homem e o distinguem dos outros. Uma das formas mais finas de mascarar-se é o epicurismo que é certa independência do gosto, a qual toma a dor levianamente e se rebela ferozmente contra tudo quanto é triste e profundo. São homens serenamente alegres, que se servem da alegria e por isso são malcompreendidos – eles querem ser mal-entendidos. Existem "homens científicos" que se valem da ciência porque esta lhes dá um aspecto alegre e sereno, e, ademais, porque a ciência lhes dá a entender que o homem é supérfluo: – querem induzir o mundo a uma conclusão falsa. E há espíritos livres e astuciosos que quereriam ocultar e negar seu coração partido e destroçado (o cinismo de Hamlet, o caso de Galliani) e talvez esta loucura sirva de máscara a uma sabedoria fatal e demasiado certa.

De onde se conclui que um humanitarismo dedicado deve respeitar a "máscara" e não fazer psicologia curiosa em lugar indevido.

271

O que mais profundamente separa os homens é a diferença de grau no sentimento de asseio. De que serve toda correção e utilidade recíprocas, de que serve toda boa vontade um para com outro: finalmente permanece nisso – eles "não se toleram pelo cheiro". Um instinto elevado do asseio põe o homem na solidão mais singular e perigosa, como se fosse um santo; porque isto precisamente é a santa, a mais santa espiritualização de dito instinto. A indizível felicidade de um banho lustral purificador, um ardente desejo, uma sede inextinguível, que incessantemente incita a alma a sair das trevas para a luz do sol, dos abismos da tristeza para a seriedade e o esplendor de tudo quanto é profundo e delicado: assim como uma tal inclinação *distingue*, porque é aristocrática, assim também *separa*. A compaixão do santo é a compaixão pela impureza do "humano, demasiado humano". E há ainda alturas do alto das quais a compaixão de si mesmo é olhada como coisa impura, imunda.

272

São indícios de uma natureza aristocrática: não envilecer nunca nossos deveres, crendo que sejam deveres de todos; não renunciar nunca à própria responsabilidade, não dividi-la; contar o número dos próprios deveres, os privilégios e o seu exercício.

273

Um homem que aspire a grandes coisas considera a quem encontra no caminho como um meio ou como um obstáculo ou impedimento, ou talvez como um descanso momentâneo. A bondade que lhe é própria para os próximos não lhes é possível senão na altura e no domínio.

A impaciência e o saber, que até chegar a esta altura estão condenados a uma eterna comédia – pois a própria guerra é uma comédia e se esconde assim como todo meio esconde o fim –, tornam insuportáveis as relações sociais.

Esse homem conhece profundamente a solidão e todo o seu veneno.

274

O problema de quem espera – Feliz é o homem que realiza em tempo oportuno a solução do problema que nele dormitava, que por fim consegue "explodir" como se pode dizer. Na maior parte dos casos não sucede isto: há em todo lugar da terra homens que esperam e que nem sabem por que esperam nem se esperam em vão. Às vezes o grito que os desperta chega demasiado tarde: aquela coincidência que lhes permite proceder sobrevém quando a juventude e suas faculdades ficaram destruídas pela longa espera: quantos viram com terror, ao levantar, que seus membros estavam paralisados, e o espírito pesava muito! "Muito tarde", disseram a si mesmos, como quem perdeu a fé em si mesmo e ficou inútil para sempre. Mas, no reino do gênio, o Rafael sem mãos não será a regra em lugar da exceção? O gênio talvez não é tão raro como se acredita; mas o raro são as quinhentas mãos necessárias para agarrar o *Kairós*, o momento oportuno para tiranizar, para aproveitar a ocasião.

275

O que não quer ver o que há de mais elevado no homem busca com olhar penetrante o que nele há de mais baixo e superficial; deste modo revela seu próprio ser.

276

Em toda espécie de violação e perda, sempre as almas rudes estão em melhores condições que as aristocráticas: os perigos destas são maiores, a possibilidade de que se percam e se arruínem é imensa na multiplicidade de suas condições vitais. O lagarto, se perde um dedo, o repõe; não assim o homem.

277

Que aborrecimento! Sempre a mesma história! Quando alguém acaba de edificar sua casa, adverte que aprendeu algo. Quanto melhor lhe houve sido conhecê-lo antes de pôr-se a edificar! Sempre o funesto "demasiado tarde", a melancolia de toda coisa *concluída!*

278

Viandante, quem és? Vejo-te andar pelo teu caminho, sem amor, com olhos úmidos e tristes, como quem sai do abismo para a luz – que buscavas? – Teu peito não palpita, teu lábio dissimula o desprezo, tua mão está débil: Quem és? Que fizeste? Descansa aqui: este é um sítio hospitaleiro: restaura-te! E quem quer que sejas, que queres neste momento?

Que coisa te poderia restaurar? Diz: dar-te-ei o que tenho!

– Restaurar? Restaurar? Ó ser estimulado pela curiosidade! Que dizes?

Dá-me!...

– O quê? Que coisa?

– Outra máscara! Uma segunda máscara!

279

Os homens que conheceram a profundidade da tristeza se traem quando se sentem felizes; são conhecidos quando querem conservá-la, encerrá-la por inveja, porque sabem quão cedo deles ela fugirá.

280

– Mal! Mal! Não retrocede?

– Sim, mas compreendeis mal quando falais assim, ele retrocede como o que vai dar um grande salto.

281

E me crerão? Mas eu exijo que me acreditem: sempre pensei tão pouco em mim mesmo, e

só em casos raros, e por necessidade, e sem

grandes entusiasmos, e sempre disposto a afastar de mim o pensamento, sem fé no resultado, com invencível desconfiança contra a possibilidade da consciência, até o ponto de acreditar que no conceito "consciência imediata" dos teoréticos há uma *contraditio in adjeto.* Talvez há aversão em minha pessoa em crer algo de certo a meu respeito. Será que nisto se oculta um enigma?

Provavelmente; mas felizmente nenhum para mim. Talvez revele a espécie de que faço parte, e isto me alegra muito.

282

– "Que te passou? – Não o sei, disse hesitante, parece que as harpias pousaram sobre a minha mesa." Um homem cheio de moderação se vê acometido de loucura furiosa, e quebra pratos, e atira a mesa, e grita, e se enfurece e injuria a todo o mundo, e retira-se afinal a um canto envergonhado de si mesmo. A um canto... Para quê? Para morrer de fome na solidão? Para sufocar-se com a lembrança? Aquele que tem uma alma elevada e escrupulosa e não acha o alimento de que necessita correrá sempre grave risco, mas hoje muito mais. Ver-se envolto numa época violenta e plebeia, com a qual não pode comer no mesmo prato. É possível que morra de fome, ou de sede, ou, quando resolve servir-se, morra de asco repentino.

Todos nós tivemos de suportar alguma vez comidas que não eram para nós e precisamente os mais espirituais, os mais difíceis de alimentar, conhecem muito bem aquela "dispensa" perigosa, que provém de ver a má qualidade da comida e da sociedade que nos rodeia: é a náusea das sobremesas.

283

Uma forma delicada e aristocrática de dominar a si mesmo é a de louvar, admitindo que se deva louvar somente quando não se está de acordo com os outros; em caso contrário, se louvaria a si mesmo, o que é contrário ao bom gosto. De fato, um autodomínio que oferece o belo ensejo de ser continuadamente malcompreendido. Para ter este luxo de bom gosto e de moralidade é necessário não viver entre imbecis, mas entre pessoas cujos equívocos e erros divertem ao menos por sua finura; do contrário terá de arrepender-se amargamente. Ele me louvava; logo me dá razão. Esta lógica de asno nos amarga a vida, a nós solitários, porque torna os asnos vizinhos e amigos nossos.

284

Viver numa indiferença imensa e orgulhosa, sempre além; ter e não ter nenhum capricho, suas próprias emoções, seus prós e seus contras, ir *sentado* neles como em cavalos, e às vezes como em asnos, quer dizer, aproveitar-se de sua estupidez e de sua fogosidade. Conservar em si mesmo as trezentas superficialidades e os óculos esfumaçados, já que ninguém deve ler em nossos olhos, e muito menos em nossos *motivos.* Escolher por companheiro este vício gatuno e alegre que se chama cortesia; possuir as quatro virtudes, valor, previsão, compaixão e solidão, já que a solidão é uma virtude, um estímulo sublime para a pureza, e que nos permite adivinhar quão impuro é o contato de homem a homem, o contato da sociedade (pois toda "sociedade" em qualquer tempo e lugar acaba por ser plebeia)...

285

Os maiores sucessos e as maiores ideias (as maiores ideias são os maiores sucessos) são compreendidos muito tarde: as gerações contemporâneas não as vivem, embora elas vivam ao lado delas. Acontece na vida como no reino dos astros. A luz das estrelas mais longínquas chega tarde a nós, e, entretanto, o homem nega que tais estrelas existam. "Quantos séculos necessita um espírito para ser compreendido?" Também esta é uma medida, também com isto se cria uma hierarquia, assim entre os espíritos como entre os astros.

286

"Aqui, a vista é livre, o espírito elevado". Mas existe também outra espécie de homens, os quais estão no alto e com horizonte livre, mas que olham para baixo.

287

Que é o aristocrático? Qual é hoje o significado desta palavra? Neste céu pesado, nebuloso e plúmbeo, qual é o caráter que distingue o homem aristocrático? Não são as ações as que o revelam (ações estão sempre sujeitas a múltiplas interpretações), e muito menos as obras. Entre os artistas e homens da ciência há muitos cujas obras encarnam certo ardente desejo de aristocrático, mas precisamente este desejo, esta necessidade do aristocrático, é fundamentalmente diversa das necessidades da alma propriamente aristocrática, e é a característica mais eloquente e perigosa do que falta. Não as obras, mas a fé decide, determina a hierarquia (eis aqui um significado novo e mais profundo de uma antiga fórmula religiosa). A alma aristocrática possui a fé em si mesma, e esta fé não se pode perder. A alma aristocrática tem veneração de si mesma.

288

Há certos homens condenados a ter engenho, embora para escondê-lo ponham a mão ante os olhos que os traem (como se a mão não os traísse). Sempre se verifica que querem esconder algo, o engenho.

Um dos meios mais sutis para enganar e para alguém fazer-se crer mais tolo do que é (coisa útil na vida como um guarda-chuva) chama-se *entusiasmo*, incluindo o que lhe pertence, a virtude. Porque, como diz Galliani, e ele o devia saber: *vertu est enthousiasme.*

289

Nos escritos de um solitário sempre há algum eco, o murmúrio e o olhar tímido da solidão; até de suas expressões mais enérgicas, de seus gritos, surge sempre uma nova espécie de silêncio e de mutismo mais perigoso. O que, por anos inteiros, de dia e de noite, esteve em conversação e em discussão íntimas, ele e sua alma sozinhos; o que em sua própria cova, que tanto pode ser um labirinto como uma mina de ouro, vem a ser um urso ou um investigador de tesouros, ou um dragão e tutor, todas as suas ideias se revestem de certa dor crepuscular e exalam certo odor de profundidade e de charco, algo de incomunicável e de repugnante, algo que sopra a todos como vento gelado. O solitário nunca crerá que um filósofo (ainda admitindo que o filósofo seja, em primeiro lugar, um solitário) tenha expressado nos livros suas opiniões definitivas: Porventura, não se escrevem livros para esconder o mais íntimo?

Sim, ele duvidará que um filósofo possa ter de qualquer forma opiniões próprias e definitivas, e suspeitará que além de sua caverna está outra mais profunda, um mundo mais vasto, mais estranho, mais rico, por baixo de toda profundidade, de toda aquela tese do *problema.* Toda filosofia é uma filosofia de superfície; esta é a convicção do solitário: "há muito de arbitrário se ele se deteve aqui, olhando para trás e à sua volta, se não escavou mais profundamente, se atirou longe o alvião".

Toda filosofia serve para esconder outra filosofia: toda opinião é um esconderijo, toda palavra uma máscara.

290

O pensador profundo teme mais ser entendido que mal- entendido. Neste último caso sofre sua vaidade; mas no primeiro, sofre seu coração e sua compaixão, e diz a si mesmo: Por que queres passar tão mal como eu passo?

291

O homem, animal múltiplo, embusteiro, artificioso e impenetrável, terror dos outros animais, não tanto por força como por sua astúcia e prudência, inventou a boa consciência para gozar da simplicidade de sua alma: toda moral é uma falsificação audaz e perene, mediante a qual é possível um gozo na contemplação da alma. Sob este ponto de vista, no conceito "arte" se compreendem mais coisas do que geralmente se acredita.

292

Um filósofo é um homem que constantemente experimenta, vê, ouve, suspeita, espera e sonha coisas extraordinárias, um homem em que se chocam suas próprias ideias como se viessem de fora, do alto ou de baixo, como acontecimentos a ele somente reservados e que lhe ferem com a força do raio; talvez ele mesmo seja uma tempestade cheia de raios, um homem fatal, ao redor do qual estrondam, zumbem, rasgam-se e acontecem coisas tenebrosas.

Um filósofo é um ser que foge de si mesmo, que teme a si mesmo, mas que é demasiado curioso e volve sempre para si mesmo.

293

Um homem que diz: "Isto me agrada, eu me aproprio, quero defendê-lo e protegê-lo contra todos"; um homem que pode desposar-se com uma causa e cumprir uma resolução, e manter sua fé numa ideia e ter unida uma mulher e castigar e abater um temerário; um homem que tem sua cólera e sua espada e que serve de refúgio aos débeis e oprimidos e aos animais; numa palavra, um homem que por natureza é dominador – quando um tal homem se compadece, esta compaixão tem valor. Mas, que vale a compaixão dos que devem ser compadecidos, nem a daqueles que pregam a compaixão?

Hoje, na Europa, encontramos uma sensibilidade morbosa para a dor, e ao mesmo tempo uma intemperança no lamentar-se, uma efeminação que se dá ares de superioridade sob a máscara de religião e orgulho filosófico; decretou-se um verdadeiro culto ao sofrimento. A efeminação que se batiza com o nome utópico de compaixão é, ao meu ver, o primeiro que salta aos olhos. É necessário desterrar este mau gosto de última moda, e, por minha parte, desejo levar no peito o amuleto do "já saber", "ciência alegre" para explicá-la bem aos alemães.

294

O vício olímpico – A despeito daquele filósofo que, como bom e legítimo inglês, tratou de caluniar o riso, dizendo: "O riso é uma grande enfermidade da natureza humana da qual deverá cuidar-se todo pensador" (Hobbes) eu me permitirei, pelo contrário, classificar os filósofos, segundo participem do "riso", até chegar àqueles que são capazes de um riso *áureo.* E se supomos que também os deuses se ocupam de filosofia (a cuja opinião me inclinei por muitas razões), não duvido que saberão rir de maneira sobre-humana, de modo novo, sobretudo das coisas mais sérias. Os deuses são muito dados ao sarcasmo; até nas coisas sagradas parece que não podem conter o riso.

295

O gênio do coração, segundo o possui este grande misterioso, este deus tentador e caçador de ratos das consciências, cuja voz sabe descer até o mundo subterrâneo de todas as almas, e que não diz uma palavra nem aventura um olhar não se ache uma sedução, e cuja maestria consiste nas aparências, não em aparecer o que é, mas sim nos obriga os outros a segui-lo mais íntima e profundamente, o gênio do coração, que faz emudecer todas as vozes mais elevadas e ensina a escutar em silêncio, que pule as almas ásperas e as faz saborear um novo e ardente desejo, o desejo de estar quietas como as águas de um lago, para refletir as estrelas do profundo céu; o gênio do coração que ensina delicadeza, adivinha o tesouro escondido ou esquecido e a gota de bondade ou de mansa espiritualidade encerrada na crosta do gelo; o gênio do coração que é uma varinha de condão para toda pepita de ouro contida na prisão do lodo ou da areia; o gênio do coração, a cujo contato nos sentimos mais ricos, mais novos do que antes, purificados, penetrados e beijados pelo zéfiro, gênio talvez mais incerto, mas delicado, mais frágil, mais quebrantado, mais cheio de esperanças ainda sem nome, cheio de volições e correntes, de contracorrentes e de contradições novas; mas que é o que faço, meus amigos? De que vos estou falando? Esqueci de tal modo que não me recordarei de dizer-vos seu nome! A não ser que tenhais adivinhado o nome deste deus e deste espírito estranho a quem louvo de tal modo. Como sucede a todos aqueles que desde sua infância estão de viagem e entre pessoas estranhas, assim acontece à minha vida, a qual manteve contato com espíritos de toda espécie, singulares e às vezes perigosos, mas sobretudo com aquele de que vos estava falando, e que era nada menos que o deus Dioniso, o grande deus ambíguo e tentador, ao qual sacrifiquei com todo segredo e veneração minhas primícias (sendo talvez o último a quem dei um sacrifício, pois não achei quem me compreendesse até então). Entretanto, aprendi muitas coisas acerca da filosofia deste deus e as ouvi de sua boca, eu o último iniciado ao deus Dioniso, e me parece ter algum direito de dar-vos a vós um ensaio desta filosofia. Mas à meia-voz, meus amigos, porque se trata de coisas secretas, muito serenas, novas, estranhas, maravilhosas e sinistras.

Já o fato de ser Dioniso filósofo, e de ocupar-se os deuses de filosofia, parece-me coisa nova que dá muito que pensar e que os filósofos acolherão com desconfiança. Entre vós não acharei grande oposição, a não ser que chegue tarde ou em hora inoportuna, porque hoje vós, segundo pude adivinhar, não crereis com vontade nem em Deus nem nos deuses. Talvez eu, na liberalidade de meu canto, deva ir além do que é agradável aos severos costumes de vossos ouvidos. É certo que aquele deus ia muito longe em tais colóquios e me deixava sempre muito atrás.

E se fosse lícito conferir-lhe epítetos solenes, deveria eu louvar-lhe por sua valentia, por sua sinceridade honesta e seu amor ao saber. Mas de todas essas bagatelas honrosas e distintas não faria caso um deus.

"Deixai tais coisas - me diria - para ti e para os teus semelhantes que eu não as necessito; eu não tenho nenhum motivo para esconder minha nudez". E se compreende: talvez esta espécie de divindades e de filósofos careça de pudor! Em outra ocasião me disse: "Em certas circunstâncias amo o homem - aludia a Ariadne, que estava presente; - o homem me parece um animal agradável, nobre, valente e engenhoso, que não tem igual na terra, e que sabe achar o fio de todos os labirintos". Eu o quero bem: "às vezes penso como poderia fazê-lo progredir mais, fazê-lo mais forte, mais maligno e mais profundo do que é".

"Mais forte, mais maligno e mais profundo?" perguntei eu espantado. "Sim; mais forte, mais maligno, mais profundo, e também mais belo", acrescentou o deus tentador, sorrindo com riso alciônico como se naquele ponto houvesse dito uma coisa extremamente gentil.

Por onde vemos que aquela divindade não só carece de pudor, mas também... e há boas razões para pensar que em muitas coisas poderiam os deuses aprender algo dos homens. Nós os homens somos... mais humanos.

296

Ai de mim! Que é de vós, pensamentos meus, escritos ou pintados?

Não há muito éreis ainda multicores, jovens, maliciosos, pontiagudos, cheios de espinhos e de condimentos secretos que me fazíeis esperar e rir! Mas agora já estais despojados do manto da novidade, e alguns de vós estão prontos a traduzir-se em verdades. Quantos têm já a aparência de imortais, de desonestos, de chorões, de fastidiosos! E quanto não sucedeu assim?

Nós, mandarins do pincel chinês, imortalizadores das coisas que se deixam escrever, que é o que podemos copiar pintando por nós mesmos?

Somente o que já está a ponto de corromper-se e que perdeu já sua fragrância.

Não somos mais que nuvens tempestuosas que se desvanecem e fogem!

Não somos mais que sentimentos tardios e pálidos! Não somos mais que pássaros cansados que se deixam pegar com a mão. Escrevemos para a eternidade o que não pode voar por muito tempo, somente coisas cansadas e murchas! E não só para vosso acaso, ó pensamentos meus, escritos ou pintados, tenho eu cores, muitas cores, muitas pinturas multicores, mil gradações de amarelo e de cinzento, de verde e de vermelho; com tudo isso, ninguém poderá adivinhar como aparecestes em vossa aurora, ó vós, centelhas inesperadas, prodígios de minha solidão!

Ó vós, meus antigos, adorados, malignos pensamentos!

Notas de rodapé

1. Como o Rio Ganges: *presto*.

2. Como a tartaruga: *lenta*.

3. Como a rã: *staccato*.

4. Berlim é construída sobre terreno arenoso, por isso Nietzsche faz uma alusão ao espírito irreverente do povo berlinês [N.T.].

5. A palavra germânica antiga é "teutsche". Nietzsche faz um trocadilho com a palavra alemã "Tausche" [N.T.].

Vozes de Bolso

- *Assim falava Zaratustra* – Friedrich Nietzsche
- *O Príncipe* – Nicolau Maquiavel
- *Confissões* – Santo Agostinho
- *Brasil: nunca mais* – Mitra Arquidiocesana de São Paulo
- *A arte da guerra* – Sun Tzu
- *O conceito de angústia* – Søren Aabye Kierkegaard
- *Manifesto do Partido Comunista* – Friedrich Engels e Karl Marx
- *Imitação de Cristo* – Tomás de Kempis
- *O homem à procura de si mesmo* – Rollo May
- *O existencialismo é um humanismo* – Jean-Paul Sartre
- *Além do bem e do mal* – Friedrich Nietzsche
- *O abolicionismo* – Joaquim Nabuco
- *Filoteia* – São Francisco de Sales
- *Jesus Cristo Libertador* – Leonardo Boff
- *A Cidade de Deus – Parte I* – Santo Agostinho
- *A Cidade de Deus – Parte II* – Santo Agostinho
- *O conceito de ironia constantemente referido a Sócrates* – Søren Aabye Kierkegaard
- *Tratado sobre a clemência* – Sêneca
- *O ente e a essência* – Santo Tomás de Aquino
- *Sobre a potencialidade da alma* – De quantitate animae – Santo Agostinho
- *Sobre a vida feliz* – Santo Agostinho
- *Contra os acadêmicos* – Santo Agostinho
- *A Cidade do Sol* – Tommaso Campanella
- *Crepúsculo dos ídolos ou Como se filosofa com o martelo* – Friedrich Nietzsche
- *A essência da filosofia* – Wilhelm Dilthey
- *Elogio da loucura* – Erasmo de Roterdã
- *Utopia* – Thomas Morus
- *Do contrato social* – Jean-Jacques Rousseau
- *Discurso sobre a economia política* – Jean-Jacques Rousseau
- *Vontade de potência* – Friedrich Nietzsche
- *A genealogia da moral* – Friedrich Nietzsche
- *O banquete* – Platão
- *Os pensadores originários* – Anaximandro, Parmênides, Heráclito
- *A arte de ter razão* – Arthur Schopenhauer
- *Discurso sobre o método* – René Descartes
- *Que é isto – A filosofia?* – Martin Heidegger
- *Identidade e diferença* – Martin Heidegger
- *Sobre a mentira* – Santo Agostinho
- *Da arte da guerra* – Nicolau Maquiavel
- *Os direitos do homem* – Thomas Paine
- *Sobre a liberdade* – John Stuart Mill

- *Defensor menor* – Marsílio de Pádua
- *Tratado sobre o regime e o governo da cidade de Florença* – J. Savonarola
- *Primeiros princípios metafísicos da Doutrina do Direito* – Immanuel Kant
- *Carta sobre a tolerância* – John Locke
- *A desobediência civil* – Henry David Thoureau
- *A ideologia alemã* – Karl Marx e Friedrich Engels
- *O conspirador* – Nicolau Maquiavel
- *Discurso de metafísica* – Gottfried Wilhelm Leibniz
- *Segundo tratado sobre o governo civil e outros escritos* – John Locke
- *Miséria da filosofia* – Karl Marx
- *Escritos seletos* – Martinho Lutero
- *Escritos seletos* – João Calvino
- *Que é a literatura?* – Jean-Paul Sartre
- *Dos delitos e das penas* – Cesare Beccaria
- *O anticristo* – Friedrich Nietzsche
- *À paz perpétua* – Immanuel Kant
- *A ética protestante e o espírito do capitalismo* – Max Weber
- *Apologia de Sócrates* – Platão
- *Da república* – Cícero
- *O socialismo humanista* – Che Guevara
- *Da alma* – Aristóteles
- *Heróis e maravilhas* – Jacques Le Goff
- *Breve tratado sobre Deus, o ser humano e sua felicidade* – Baruch de Espinosa
- *Sobre a brevidade da vida & Sobre o ócio* – Sêneca
- *A sujeição das mulheres* – John Stuart Mill
- *Viagem ao Brasil* – Hans Staden
- *Sobre a prudência* – Santo Tomás de Aquino
- *Discurso sobre a origem e os fundamentos da desigualdade entre os homens* – Jean-Jacques Rousseau
- *Cândido, ou o Otimismo* – Voltaire
- *Fédon* – Platão
- *Sobre como lidar consigo mesmo* – Arthur Schopenhauer
- *O discurso da servidão ou O contra um* – Étienne de La Boétie
- *Retórica* – Aristóteles